U0136999

耿君宇 著

耳朵的烟花

Erduo de yan hua

海风出版社

HAIFENG PUBLISHING HOUSE

图书在版编目（CIP）数据

耳朵的烟花/耿君宇著. —福州：海风出版社，2009.8
（在路上文丛；2/黄礼孩主编）
ISBN 978-7-80597-872-7

I.耳… II.耿… III.诗歌—作品集—中同—当代
IV.I227

中国版本图书馆CIP数据核字（2009）第153596号

耳朵的烟花

耿君宇　著

责任编辑：刘　克

出版发行：海风出版社

（福州市鼓东路187号　邮编：350001）

出　版　人：焦红辉

印　　　刷：福州千帆印刷有限公司

开　　　本：140×210　1/32

印　　　张：5 印张

字　　　数：100 千字

印　　　数：1-5000册

版　　　次：2009年9月第1版

印　　　次：2009年9月第1次印刷

书　　　号：ISBN 978-7-80597-872-7/Z·167

定　　　价：60.00元（全三册）

目　　录

第一章：印象云南

首 长

4月5日晚7时许，接老首长刘志和从云南打来的电话。10余年了，可以说无时无刻不在想念。其实半小时前，我还在拜读，他在北大的一个讲座。

声音从远方而来
熟悉中透着亲切
相距那么远
相隔那么多年

往事，从前
流血流汗的地方
有一双手将我扶起
像是我的兄长

岁月太快太快
沿着您的期望
一路北上
如今愈来愈远

那个彩云飘荡的地方
是我一生的遗憾
因为，除了思念
还是思念
2007.04.05

1994，富宁

转过一道弯，又转过一道弯
小小的盆地顿时深陷
普厅河像条白色的带子
那座黑色的铁索桥
躲藏起来
玉泉山一声不吭，低着头
不和我说再见

车把我搁在云端
眼睛被云雾缠绕
———这是1994年的夏天
我的第二故乡
它跟在我的后面
2007.04.05

滇东南

那些野芦好象疯了
占据着整个秋天
滇东南被染了霜
让你看不到
它裸露的红
那个秋天我走得很深
把自己迷失在
海一样的芦苇荡
我被白色包围
头枕鹅卵石

手握着絮
在一个小溪旁
仰望着蓝天
静静地睡着了
从此就成了一幅画
我在画中，洁白如雪
2007.04.06

谁家的柚子忘记收了

谁家的柚子忘记收了
挂在高高的树上
像一个个灯笼
黄黄的，散发着香
那棵成年的柚树
像成熟的少妇
裸露着乳，在秋天
结实而又饱满
它生在李爷山下
离村庄很远
我怕人偷去，守着那棵树
整整一天
果子个个诱人
我把它们抚摸一遍
十多年了，我的手上
至今留有香甜
2007.04.06

葵　园

一棵向日葵低垂着头
满腹心事，有些孤单
已经是深秋了
成熟的庄稼早已下山

沉重的脑袋快要折断
一根黑黑的杆，没有了叶片
天气愈来愈冷
我不忍将它留下

数百颗饱满的果实
被我带回了家
一粒也没有吃
我把它们种在了春天

又一个秋天来临
大片的葵园心事重重
一个个弯下身子
默念着它们的母亲
2007.04.06

一棵起死回生的树

我至今惊讶于它的生命
那么大一块儿石头
重重地压在身上
一棵两三岁的芒果树

早已奄奄一息

被泥石流冲下山
对于成活我缺少信心
只是救了它，顺手种在
我的房前。浇水，施肥
后来枝叶茂盛

秋天里结出两个果了
挤在一起，像个心形
2007.04.06

神秘果子

我一直喊不出它的名字
一种果子，它的生命短暂
或许已经忘记
只记住九月
那是它成熟的季节

九月，它们窃窃私语
在风轻月圆的晚上
躲藏在枝头，偷听
恋人们在树下
轻轻呢喃
有微风吹过
脚站立不稳
啪地一声跌下
被等待的男女，捡起

放进背篓

一枚果子就这样成熟
月亮，微风，以及等待
据说其他时候
这种神秘的果子
只有苦涩
2007.04.07

烤豆腐

从街的那头传来
夜色的深处
天上的街市紧锣密鼓
沿街两旁，香气弥漫

让人坐卧不安
绝美的姿色焦黄
富宁的烤豆腐
让一座城市失眠
2007.04.07

者儿根

一种草根，除了忆苦思甜
还有什么
值得让人回味？

其实不是一般的草根
腥苦清爽的性格
是副好药材
鱼腥草，生长在田间地头
放些盐醋，便可以下酒
便可以让一个人活得清醒
2007.04.07

白蕉桃

香甜的白蕉桃
如果被一座山拥有
这座山
就生活在幸福之中

那棵白蕉桃
长在我的后山
一到夏天，用成熟
将我召唤

薄薄的皮，白白的籽
小小的白蕉桃
生长在记忆中
一年又一年
2007.04.07

丽　江

浣纱的女子
立在水边
柔柔的柳是她长长的发
我看到莲藕的胳膊
和她的十指纤纤

千年的小巷灯火辉煌
一生的惆怅正在疯长

每一座石桥
都有我百年的孤独
每一棵杨柳
都是我坚贞的守候
2007.04.08

仙人果
　　1996年夏，与作家刘卫兵，作曲家张玉春父子去砚山小
克底采风，吃农家饭，至今难忘。

刚伸出手
一声惊叫将我拦住
那个小男孩
我听不懂他的方言

墙上的仙人掌
瞪着警惕的眼睛
花开败后

果子们散发着香

其实他是怕我扎了
自己却像个猴子
麻利地爬上墙
摘下成熟的果子

去刺，剥皮
然后把果肉
送到我们的嘴边
他在一旁观看

一个十来岁的小男孩
背着双小手
看我们认真咀嚼
咧着嘴笑
2007.04.08

谁见过蓖麻也能大树参天

很小的时候，常去挽留
一棵蓖麻不要死去
取来暖暖的东西
给它披上
不让寒风把它吹去
事实上一棵小小的蓖麻
在北方过不了冬天

后来见到了真正的蓖麻树

硕壮的枝杆，宽大的叶片
饱满的果实挤在枝头
这些南方的蓖麻树
生长在我的后山
再也不用担心寒冷
一棵棵蓖麻早已参天
2007.04.08

芭蕉　芭蕉

那些芭蕉高大挺拔
目光再也越不过
它那高昂的头

一片片宽大的叶子
迷失了我的眼睛

漫山的芭蕉树
生长成一座森林
一个孩子
他在童话之中
2007.04.09

马　帮

　　我一直对马帮的生活心怀向往，艰辛，苦难，与山林为
伴却散淡超然。

远远地就知道了

隔了几座山
消息走得真快
像寨子里娶新娘
到处洋溢着喜气
孩子们带着狗
飞上山头
老人们搬着小凳
坐在老树下
女人们迟迟不愿
抛头露面，对着妆台
左顾右盼

清脆的铃铛愈来愈脆
满载着生活的马帮
就要进寨
2007.04.10

赤　脚

　　富宁田蓬，那个边陲小镇，当那些少数民族的兄弟赤脚
从我身边经过，我被深深震撼。

那双脚重重落下
像踩住了泥土的尾巴
惊慌地逃窜
远远的一块玻璃
流露出恐惧

风雨中长大
我的兄弟充满虎胆

棕色的大脚
踏平四季
山梁上有雷滚过

总是生命高昂
山上山下
贫困的生活
决不让一双鞋子
挡住去路
2007.04.10

雪李　雪李

　　没见过这么大的李子，状如桃子。在田蓬，1996年的秋天因此丰满。怀念一个地方，无非是某个人或一些草木碎片。

妩媚的妃子
白白胖胖
一路风雨走来
没有使她变样

那个唐朝女子
带着她的姊妹
如今栖息在
一棵树上

我的雪李
正一日日成长
到了秋天

便会款款走来
2007.04.10

云南民居

和邮票上的一样
只不过黑白间
被无限放大
延伸出的绿
是它美丽的家

彩云环抱
端坐在凤尾竹下
像古典的女子
含情默默
小巧而有深意
2007.04.10

泥石流

疯狂的石头
从天而至
像翅膀受伤的鸟
跌撞
或者蹦跳
它们成群结队
让一座山跟着恐惧

如果没有风雨
如果艳阳高照
这些石头
会如同水牛
安分地卧在山上
一动不动
享受着清闲
2007.04.10

苞谷烧

　　三年的边陲生活让我得以融入那里的是一种叫苞谷烧的酒。一种烈性酒，60度或者更高。吞进肚里，就像吞进了一团火。它是整个滇东南少数民族兄弟每日必饮用的酒。那些少数民族的兄弟饮起酒来洒脱自如，无须肉食抑或青菜。用稻谷换来一大可乐瓶子的苞谷烧，一人或夫妻两个，很快见底。

像胸怀着仇恨
忍了又忍
将身体憋得通红
直至燃烧

复杂多变的性格
无以言表
有时柔弱似羊
有时刚烈如狼

只不过是粮食和水

一次完美结合
却剑走偏锋
成为利器

苞谷烧
柔中带钢的水
爱也不是
恨也不是
2007.04.12

鸡枞　鸡枞

　　汪曾祺和阿城，都曾对云南的鸡枞作过生动细腻的描述。这种像极了我们豫东老家鸡腿蘑菇的菌类，品尝一次，终生回味。

像是急于出嫁
穿白裙子的少女
拼命地长个
直奔二八年华

把自己打扮成
姿色娉婷
让莲藕似的胳膊
裸露在外

雨过天晴
她的婚期到了
骑白马的不是王子
迎娶她的是贪婪的眼睛
2007.04.13

泸沽湖

写下这个名字，想起一个叫和星星的小女孩儿。摩梭族，军人和绍全之女。在她十四岁的时候，写过一篇《百褶裙》的文章，发在当时我在的《边防文学》上。没见过小星星，但记住了她的文章。据说她的母亲是汉族，她像个混血儿。

把自己透明成水
让幸福悄然隐藏
远方的歌声愈来愈近
独倚在门后
脸庞发烫

百褶裙泛起涟漪
激起了层层波浪
猪槽船被惊醒
伸了个懒腰
月色里晃了几晃

受人尊敬的老母亲
深居简出
岁月的褶子爬满脸
亲切的纹路
情深意长
2007.04.13

木棉花

木棉亦名吉贝和英雄树等。没长成的时候，面孔丑陋得令人恐惧，疙疙瘩瘩的，如青春期男人的脸。1993年4月，随部队的同志去一个叫博爱的小镇送救灾物资，在美丽的驮娘江畔，见到一株株盛开的木棉花，那满天的红，如红烧云。

悄然遁去
云朵羞红着脸
美丽的火凤凰
从另一个世界
来到了这一个世界

疯妮子
把家安在枝头
率真的性格张扬
把一条红裙子
舞成了火
2007.04.14

普者黑

1996年夏，与书法家孔维俊、作家刘卫兵及丘北部分领导一同畅游普者黑。禁不住它清澈的诱惑，跳下水去，倒也快哉。

几乎没有犹豫
将我接纳
用她的柔
抚我躁动的心

将自己舒展成
安祥的婴儿
一双翅膀生出
轻盈如翼

水草茂密成林
鱼类格外友好
---有的与我对视
有的吻我脚趾

这是1996年夏
我在普者黑
把自己变成了鱼
或者一株水草
2007.04.14

云杉坪

想爱就爱吧
到达幸福的距离
只有3200米
---天堂伸手可及

骑红虎白鹿
扯云裳为衣
把家安在白云深处
让生命不老
一生激情
晨雾流云为帐

绿草鲜花做毯
日月星辰点亮了灯
五彩雉鸟在清晨
为你们打鸣

云杉坪，你们的新房
高高的雪山上
雪莲花并蒂
那是你们爱情的结晶
2006.04.16

寨　子

走很远的路
那片云累了
山坡上打个盹
变成一棵树
其他的云心怀妒嫉
争先恐后
化作房子、水稻和牛
一条长形的云
调皮地翻个身儿
一条小溪
欢快地流淌

一座寨子就这样长大
一棵大树俨然为王

麻栗坡

　　这是一个快要被人淡忘的名字。岁月一天天老去，一些人或事，也跟着老去。这个曾经屯兵百万的地方，自然难逃脱这一命运。现在，它或许不一如一个妖里妖气的歌手或者舞台上的一个小丑更让人注目。但作为曾经在那里生活战斗过的我，却须史不敢忘记，不敢忘记长眠在麻栗坡烈士陵园里的一个个英雄好汉。

那年的秋天
我将脚步放轻
狭窄的谷底
蹑手蹑脚
恐把你们惊醒

苞谷长势喜人
一株株吐着红缨
列队完毕
只等一声令下
准备出征

或许正在梦中
或许睁着眼睛
青纱帐里
有微风吹过
仍闻炮声隆隆
2007.04.17

白水台

把一挂瀑布扳倒
让它变得温顺
小仙女款款走来
从此安营扎寨
这个美丽的女子
大门不出，二门不迈
过举案齐眉的日子

层层叠叠的梯田
是她纤细的手
绘制的一幅图画
她和她的爱人
守在画里
过男耕女织的生活
收洁白如玉的庄稼
2007.04.18

香格里拉

我把梦落在了香格里拉
至今没回来
至今不愿回来
调皮的孩子
手握大把的云朵
做着森林的王
什么都不想
奔跑在四季里

任我喊破嗓子
也无动于衷
把自己打扮得
如同山上的白雪
一尘不染
2007.04.18

茶树林

那么深的绿
将一座山淹没
目光寸步难行
白裙子白了又白
任时光爬上苔藓

去往他乡的路
被思念压弯
那只孤独的手
至今悬空
稻草距她遥远

远方的故乡啊
一年又一年
无数个日夜过去
再也走不出
那片茶树林
2007.04.14

苗　寨

　　我一直敬仰着这个民族。生存在险恶环境，把自己视若为神鹰。这是一个神秘的民族。在滇东南，只要有苗族人，你就能在高高的山上见到他们勤劳的身影，而那些地方往往缺少水源，离开了水，人怎么得以存活？然而事实上，他们的身体一个棒似一个，这不得不令人赞叹。

其实是鹰
把家安在了山顶
用警惕的眼
俯视着身下的险

小小的背篓
长出勇敢的翅膀
山上山下
一年四季飞翔

眼泪不会流出
生命坚如石头
一只鹰不会因为饥饿
而心怀悲伤

我的苗族兄弟
在缺衣少食的山上
怀揣险恶
把头颅昂了又昂
2007.04.19

茅草坪

有谁见过
把家安在云端
像母亲的手
将孩子举上天

直入云霄
端坐在山颠
手持云朵
头枕着蓝天

茅草坪像个孩子
生活在世外桃园
一双顽皮的手
抚摸清澈的星斗

水洗的夜晚
山茅草结出珍珠
月牙船不愿睡去
一座村庄失眠
2007.04.20

山茅草

　　军旅画家钟开天先生，喜作山茅草，支支如剑，喻为边疆军人之精神。可惜，跟了先生一两年，狗尾巴草都没画好。遍地的山茅草，阴天作帽遮雨，做饭可当锅盖，最终融入云南文化，纳入"云南十八怪"——草帽当锅盖。

不是温室里的花
需要小心呵护
山茅草直指蓝天
生命如刀

红土地的血性
卑微的头颅高昂
钢中含柔
或柔中带钢

坚韧成一种品格
或永远的根深蒂固
2007.04.21

版纳　版纳　我的版纳

不要轻易喊出
她的名字
最好含情默默
将她呼唤

把自己迷失
那个沉醉的秋天
朦胧的眼睛
四处晕眩

我用目光
圈下一块土地
头枕着绿

仰望天高云淡

美丽的王国
睡在我的记忆
一生的版纳
飘在彩云之南
2007.04.22

子母嘎记事

　　1993年秋，由昆明赴文山，途经子母嘎，忽遇泥石流，山崩地裂，无限惊恐，幸被寨子乡亲所救，不胜感激。子母嘎，一个充满诗情画意的名字，一个生活在白云深处的山寨。

那团匆忙的云
突然横在路上
黑着吓人的脸子

"泥石流泥石流"
雨水中慌乱的声音
模糊中带有恐惧

像断了桅的船
两三辆长途客车
卷进黑色旋涡

天塌下来
石头化作雨点
雷从山顶冲下

十多个精壮汉子
闻声飞来
救我们到子母嘎

小小山寨
风雨中摇曳的花
动人地开在山崖
2007.04.25

虎跳峡
　　尧茂书、洛阳漂流队等，你们是我心目中的英雄。

牙关咬了再咬
双目紧闭
幻想的翅膀
或弹性十足的脚
仍懦夫一般
苍白无力
心却跳了出来

把人化作齑粉的天险
构架起一道亮丽彩虹
我看见英雄的身影
笑傲着江湖
一声旷世长啸
威风凛凛
至今响彻山涧

而我，既不是老虎

也没有虎胆
2007.04.25

瑞丽　瑞丽

娉婷女子
穿过浓郁竹林
款款而来
一路眉清目秀

铅华洗尽
曾经的大家闺秀
告别深居简出
如今千娇百媚

山雾中沐浴
碧绿如翠的玉
脱胎换骨
肌肤如同瓷器

瑞丽　瑞丽
娇小的名字
只需轻轻一唤
就让人心动不已
2007.04.26

阿佤山印象

　　我站在钢筋组成的"森林"里，遥望另一座森林。顶礼膜拜，神的天堂，梦的故乡。

山上的人
擂响一月的木鼓
神山之上
舞姿狂放如虎
牛头桩惊醒
一簇一簇

千年的神灵
降临草屋之顶
矫健的身影
穿梭山林深处
白色的天
述说着那片血红
大青树下
清澈的眸子透明
远道的矜持
如今放下拘谨
堆积的杂念
一扫而空
2007.04.27

荞麦　荞麦

十月的荞麦
穿白白的裙子
奔跑在红色的山岗
蓝蓝的天下
轻歌曼舞
一片欢乐的海洋

喜悦挂在脸上
涂脂抹粉
打扮得漂漂亮亮
幸福长出翅膀
飞向爱情
奔赴甜美的花房

小小的蜜蜂醉了
天堂花期怒放
放蜂人头枕温暖
仰躺在远方
收割着他的庄稼
一目十行
2007.04.28

海　子

或许会认为
你就是那个海子
那个把诗歌

写得让人流泪的人
其实比起诗人
你拥有更多的诗歌
只是深藏于心

像蓝色马蹄莲
用一片纯
将另一片纯唤醒
而你一言不发
蓝天之下
红土地的眼睛
却是那样透明

其实又有什么关系
被父母爱着
不是大家闺秀
也是一粒明珠
炽热的爱
不需要放在掌上
或含在嘴里

所以更多时候
你用沉默表达心事
含情默默
那一汪深蓝
是你一生的坚守
你圣洁的爱
凄美成湖
2007.04.29

梅里雪山

我的女神
你冰冷的唇
将我封在千年的雪山
我的心热了凉了
凉了热了
拒我千里之外
你看破红尘

一株白色罂粟
开圣洁的花朵
凄美的眼神
绽放冷艳的光芒
不食人间烟火
身披亿年沧桑
独自为王

曾经的激情
躲藏在山的深处
一颗心冰凉
坚硬如同石头
铁石心肠
便纵有柔情万种
也难将你唤醒
2007.05.01

哀牢山·元阳

你说你爱着那里
你说那是神仙居住的地方
你说穿过那片云海森林
你的家在高高的山上

你说那是逃离天宫的神仙
在一座山上
修建的另一座殿堂

与世无争的生活
一生的世外桃园
忘记了唐宋
以及魏晋模样

生活在画卷里
人人有一只彩色的笔
个个都是神笔马良

我看到彩云飘过
你们激情饱蘸
轻轻一下
人间从此天堂
2007.05.07

昆明啊　昆明

那个时候，我住北京路333号
到南站只需20分钟
到北站也就二、三里程
晚上散步，拐弯就是圆通公园
如果饿了，可以吃碗过桥米线

那个时候，我喜欢坐在圆通桥上
看人来人往，华灯初现
你从不把我当成外人
给我兄弟般的温暖
人家喊你春城

2005年我再次来到昆明
这个时候你我已经陌生
任我瞪大了眼睛
也没见你喊出
我的姓名
2007.05.09

在南涧

在南涧，我见到了小虎子
小时候，那个喜欢让我抱的小女孩
如今长成了大姑娘
喊一声叔叔，脸就红了
脑袋羞羞地低下去

十多年前她还在幼儿园
那时我们都还在富宁
她会说三种语言：富宁话，河南话，普通话
不论说什么，只要一张口
先露出两颗好看的小虎牙

虎子的妈妈叫何本英
随军奔波那么多年
仍只会说家乡话
——那土得掉渣的
河南息县话

她的爸爸张保平
是南涧县武装部政委
她们一家待我像亲人
以至于离开云南，想起她们
就有种想家的感觉
2007.05.16

巍山的那个夜晚

巍山的那个夜晚
我被雷声惊醒
空旷的雷声
仿佛欲击穿我的耳膜
闪电中
我看见了一条金色巨龙
口吐着雨水，上下翻腾
仿佛要淹没

这座千年的小城
2007.05.16

无量山

当你把满腹的心事
沉默成一座森林
我渴望成为一只大鹏
守护着你的尊严
站立在你的肩上

你这个成熟的男人
把哀愁与苦
紧锁在眉宇深处
一些陈年旧事
耿耿于怀
比如那个叫神仙的姑娘

多愁善感的山啊
谁能够将你丈量
如今和你一样
心事重重
喝着经年的普洱
看着西去的斜阳
2005.05.20

蒙 自

穿过那座小桥
那座弯弯的拱形桥
隐隐的青山下
错落有致的民居
斜斜地升起
一股股炊烟的香

此刻你在张望
你总在饥饿的时候
把张望养成习惯
你这个穷书生
住的是破旧草棚
读的是四书五经

微风斜雨里
你想着那碗过桥的米线
那碗浓浓的鸡汤
那间暖暖的厢房
那把红红的雨伞
那个款款的新娘
2007.05.22

驮娘江畔

任性的小女孩
已经长大
清澈的面孔
缓缓地流淌着

无尽的缠绵

阳刚的木棉树
站在云端
守在岸边
刻骨铭心的日子
凄肠哀婉

如今我站在你的身旁
英雄早已当年
年迈的老母亲
足不出户
守望着夕阳下山
2005.05.23

我和红河有个约

每当我想起
你轰然倒地的身躯
心就剧烈地疼
你这个坚强的男人
心没有停止
哪怕片刻的跳动
胸口喷涌着
你不死的魂灵
仍然火一样烫
仍然洋溢着激情

我愿鞍前马后

随你纵横驰骋
我愿拼尽这最后的鲜血
将南国的疆场染红
我渴望这一天
微薄的躯体
能够化作一粒土壤
请白云将我覆盖吧
让我用嘶哑的喉咙
吼出最后的歌声
2005.05.24

烟酒店的老板娘

烟酒店的老板娘
从来不说一句话
脸上绽放的笑
仿佛四季的花

这个春天的女人
通体散发着香
沿路的蜜蜂
追逐着她的年华

我喜欢在她的店里
买些香烟或酒
顺便还要带上
一些微笑回家

那些个单纯的日子

我学会抽烟喝酒
一颗慌乱的心
都给了一个哑巴
2007.05.28

腾冲，今夜请将我拥抱

我只不过是
和顺村的一介书生
饱读诗书
只为一纸空名
像一粒虚无的沙子
背井离乡
浮在遥远的京城

粉墙黛瓦
小桥流水的倩影
幽深小巷
清晨朗朗的书声
常常于深夜哭醒
乡关何处
一株孤独的浮萍

如今老矣
踏不上返乡的路程
疲倦的风筝
孤独地悬挂在高空
乡愁是块石头
不愿沉去

飘在浅浅的梦中
2007.05.30

坝美　坝美

一个长梦
被一支船桨惊醒
恍惚六百年了
隐隐的疼痛
是沉睡后的懵懂

诅咒的翅膀
飞在狭窄的天空
光线刺伤眼睛
可怜的神灵
难守一方清静

梦里是江南的温柔
四周潺潺的水声
有谁还曾记得
那些老去的歌
和那重创的心灵
(2007.06.01)
注：坝美，壮语，森林中的洞口。

暖

所有的汉字里面
你是温馨的

让人情不自禁有些暖意
十多年了
想起或看见你
我总是惴惴不安
有种被水淋湿的感觉
就像1994年
那场来势汹汹的雨
将我从头到脚淹没
而你踉跄在水中
在者半村的村头
失魂落魄
你这个壮乡女子
大青树下
柔弱的肩膀耸动
你多情的泪水
在我的身后
汇成了冰冷的河流
(2007.06.02)

昭通，我的行囊丢了

昭通，我的行囊丢了
那个破旧的
盛有故乡气味的行囊
母亲用颤抖的手
昏暗的油灯下缝制的
那件密不透风的衣裳
和那把用来预防
水土不服的老土

找不到了
我以为用熟读的诗书
换来粮食和尊严
过上丰衣足食的生活
摇身一变
就成了逍遥的神仙
再不用上山打柴
过有上顿没下顿的日子
但是现在
我的两鬓斑白
身体单薄得像纸
抵不住一丝的寒
我只能用思念取暖
那些固执的石头
奔跑在记忆里
满眼是空旷的苍凉
和那永远的深蓝
如今我多么渴望
扯一把过往的云彩
覆盖曾经洁白
如今却孤单的心灵
(2007.06.04)

远方的凤尾竹

你像那海边
翘首盼归的女子
弱不禁风
抵不住刺骨的寒

清冷的月下
我看见你双肩耸动
你的柔弱
被裹在无边的风中

葫芦丝响起
一声声长吁短叹
好似那哭泣的埙
穿透岁月经年
如今我将忧伤带走
刻在梦中
而你沉默无语
只是一声叹息
(2007.06.13)

罗平，我马不停蹄的忧伤

罗平，我马不停蹄的忧伤
你冰冷的泪
滑落在早春的二月
斜阳正浓
那遍地的黄
是你满腹的惆怅
总是在回首之际
才将眼睛刺疼
曾经的深情
再也无法测量
覆水难收
任岁月匆匆忙忙

错过花期的蜜蜂
曾经浪子的心肠
如今恍然醒来
脆弱的心
荒芜成沙漠
难抵一片苍凉
(2007.06.14)

普洱普洱我的普洱

灰姑娘，你的心事熟透
青涩的年华一去不返
对往事充满留恋
一颗少女的心
郁郁寡欢

马帮的队伍已经走远
那个少年
他的身影飘在眼前
把思念压在心头
发酵沉淀

掰开揉碎
是那断肠的红颜
汩汩流淌似血
女儿红啊
你风流不减当年

《云南之月》

你看，月亮圆了
月亮圆的时候
我距你们，如此遥远

看不到那山
看不到那山上的人
你们站在山上
很高，站到了
像月亮一样高的地方

月亮之下
我在中原大地
品尝着山上的茶
品尝着，一种叫友谊的思念

你看，月亮圆了
月亮圆的时候
我就看到了你们

品读普洱

交谈，或者倾听
将藏在心底的往事
和盘托出
一些风雨、苦难
如今格外清晰
像朵流云

在心脏附近，成为
另一种流动的血液

身上沉甸甸的
心也沉甸甸的
没有躁动、不安
胸口，有一条温顺的河流
静静地流过
2007.09.22

云南火腿月饼

即便天一直阴着
即便十五、十六这两天
看不到天上的月亮
但是，今年的中秋
已经格外亮堂
因为我收到了
从昆明市翠湖南路
中和巷9号寄来的
云南火腿月饼
比月亮还圆
比其他月饼都要香甜的
"中华老字号"硬壳火腿月饼
是我的哥哥
诗人董保延寄来的
2007.09.24

第二章：梦里水乡

故乡天下黄花

母亲，六月的金针熟了
那遍地的黄花
闪着金色的光芒
您用纺花织布的手
一把把摘下
那丰满结实的果实
那闪着金光、含苞欲放
颗颗温顺的花朵
您说您要带她回家
等我长大
让她给我洗衣做饭
您说她的名字叫金针
一个勤劳善良的好姑娘
您把她打开
我看见七颗跳动的心
映得我小脸通红

如今又是六月
故乡一片金黄
苦苦寻觅
再也寻找不到
那个少年
和他母亲的身影
(2007.06.17)

　　黄花菜又名金针菜、忘忧草、萱草、疗愁花、鹿葱花、安神菜、健脑菜、谖草、宜男等。天下黄花无数，惟淮阳黄花7芯。

东湖　西湖

我想做个渔夫
乘一只舢板
持渔网一张
穿过芦苇蒲子
越过十里荷塘

从东湖到西湖
从西湖到东湖

宽阔的水域
我像水鸟一样
头顶是蓝蓝的天空
脚下是碧波荡漾

从西湖到东湖
从东湖到西湖

夕阳西下
我将船泊在岸上
独守万顷湖水
左边是陈湖唱晚
右边是西去斜阳
(2007.06.17)

风雨思陵冢

只不过一抔黄土
掩盖了岁月的眼睛
一场风花雪月
至今满面愁容

尘封了千年
挡不住心事重重
伊洛河畔
舞动着翩翩惊鸿

断肠的酒啊
载不动生命之重
生死攸关
七步后重获新生

其实还可以
选择另一种激情
青灯黄卷
和少许两袖清风
(2006.06.18)

　　曹植，字子建，具"八斗"之才，为兄曹丕妒，七步成诗后到陈地作王，崩葬于陈，谥号为思，又称陈思王。存世诗作80篇，如《洛神赋》等。

弦歌千年

如果还有一粒粮食
我就不会轻生
不论是在黑夜
还是沙漠里穿行

像啼血的子规
呼唤心中的黎明
像不死的精卫
誓将大海填平

决不让一缕曙光
成为过眼的风景
决不在拮据的日子
挥霍掉脆弱的生命

歌唱吧
总有美好属于心灵
你看那弦歌声里
金鳞鲫多么地感动
(2006.06.18)

1.弦歌台 位于淮阳城西南隔水静如练的南坛湖中，为纪念孔子厄于陈蔡绝粮7日弦歌不止而建，又名厄台、绝粮祠。
2.金鳞鲫 传说当孔子及其弟子饥肠如鼓之际，南坛湖跃出一条九尺鲥鱼，搭救孔子及其十贤性命。金鳞鲫通体发红，为南坛湖独有，若放入别的水水域，不到半天，则颜色顿失。

画卦台

你看那芦苇丛中
鸥鸟正在歌唱
万顷湖水
明珠一样闪亮

一座小岛
像幽暗深处的灯光
至今仍在闪着
它那耀眼的光芒

千年的厚重
压在老柏树身上
一如那个长者
浑身充满了威望
(2007.06.19)

　　画卦台，今淮阳城东北一里处。四面环水，万亩城湖烟波浩淼。为陈州七台八景之一。亭栏溢彩，古柏苍翠。为太昊伏羲氏始画八卦之地，故名画卦台。)

伏羲　伏羲

走吧，朝着太阳的方向
那里有希望、光明
你看那茂盛的水草
有鸥鸟正在歌唱
让我们逐水而居
结网捕鱼，放牧牛羊

请将火种点亮
在太阳落山的时候
赶走吃人的豺狼
老人和孩子
在温暖的家里
做个好梦，睡得安祥

脚下是坚实的土地
头顶是不落的太阳
让我们高举生命的火把
让它永放光芒
心怀美好
梦里也能飞翔
(2007.06.20)

太昊陵

此刻，我坐在你的身旁
我的亲人，你睡得如此安祥

那上了年纪的老柏树
早已是满脸沧桑
那千年的湖水
依然在碧波荡漾

生生不息的火种
闪耀着光芒
粒粒饱满的粮食
将我们喂养

做个坚强的人
不学沉默的羔羊
我们是勇敢的士兵
热血要洒在疆场

带着祝福和希望
一杆大旗迎风飘扬
不怕岁月久远
不怕道路漫长

掬一捧甘甜的陈湖水
那是你赐予我们的力量
(2007.06.21)

太昊陵，以伏羲先天八卦之数理而建。南北长750米，占地875亩，分外城、内城、紫禁城三道"皇城"。陵有三殿、两楼、两廊、两坊、一台、一亭、一祠、一堂、一园、七观、十六门。建筑分布在一条南北中轴线上。把所有南北向的大门都打开，可以从太昊陵庙大门直望到紫禁城中的伏羲陵墓。号称"十门相照"。"太昊伏羲氏之莫"传为苏东坡之妹苏小妹所写。一个莫字，实乃妙哉。

问候人祖

我来看看你
不为升官发财
不为把手放在子孙窑里
求得子孙满堂
我只要一点勇气
和赖以存活的力量

像湖水里的鱼
不一定风平浪静
但却是自由自在

饥饿、贫穷，甚至黑暗
这个虚拟的世界
它不是你梦想的王朝
我只是一介书生
擎不起你手中的大旗
2007.06.22

我要做个摇橹人

我要做个摇橹人
沿着水流的方向
到达河的对岸
那里有一座美丽的花园
充满了光明与温暖
有吃不完的粮食
没有饥饿严寒
老人们老有所养
孩子们都露着笑脸
那洁白的羊群
此刻正奔跑在云端

我要将小船摇过去
船上装载的是世上的苦难
(2007.06.24)

平粮台

我至今游走在
你渐行渐远的梦里
像个迷失的孩子
穿越千年黑暗
点石成金
将一座座幽暗的森林
变成美丽的家园

把风沙阻挡在外
把野兽阻挡在外
只留下粮食
和抵御寒冷的温暖

而你日渐老去
孤独成王
残垣断壁里
只剩下坚强的光芒
(2007.06.25)

　　平粮台龙山文化古城，位于淮阳县城东南4公里处，场址高约5米，面积100亩，呈正方形，距今4600多年，是我国目前发掘出土进代最早的一座古城遗址。

泥泥狗

即便是到了今天
你仍然不嫌贫爱富
用忠诚和信仰

守护着一方清静

从古老的神话
走出的一枚信物
被代代相传
被顶礼膜拜

大爱无言
你留下多少温暖
就赢得多少爱怜
(2007.06.25)

淮阳"泥泥狗"伴随着宗教祭祀和古老的民俗而诞生，被称作"活化石"和"现代的古文物"。"泥泥狗"是淮阳泥玩具的总称，又称"陵狗"，为伏羲、女娲看守陵庙的"神狗"，"泥泥狗"造型古拙、怪诞，色彩艳丽，以黑色垫底，周身施以五彩纹饰。品种约有数百种，多为奇禽异兽或人兽同体，诸如"人面猴"、"人面兽"、"猴头燕"、"九头鸟"、"人头狗"、"双头狗"、"多头怪"等等。其中，"人面猴"的形象被视为"人祖猴"，其造型肃穆、神圣，绝无一般玩具中动物猴的顽皮神态。

蓍草　蓍草

我把心事说给你
等于把前世今生
托付给你
赤裸裸
如同透明的婴儿

你在暗处，我在明里
你深不可测的身影
让我有种畏惧
无法预测
脚下的路还有多远

你这来自天堂里的草
如果还有来生
我愿做个侍花的童子
守在你的身边
等你吐露天机
（2007.07.02）

　　蓍（shi）草，菊科，多年生草本植物，稀有，据说全国只有三处：一为山东曲阜；一为山西晋祠；三为太昊伏羲陵了。晋祠是为纪念周武王次子子叔虞而建，北宋追封叔虞为汾东王，为其母建"圣母殿"；曲阜是孔子的故里和墓地；太昊陵是"三皇之首"、"百王之先"人类始祖太昊伏羲氏长眠之地，均为"圣人"之地。"蓍草春荣"为淮阳八景之一。相传，伏羲氏曾用蓍草画八卦。

陈风里的影子

你看那篝火已经点亮
月亮跃出了水面
金鳞鲫金光闪闪
水草的腰肢多么柔软
披了轻纱的
一望无际的莆
莲叶何田田

来吧，相亲相爱的人
让我们击鼓而歌
跳那欢快的舞
让我们热爱粮食
和一切美好的愿望
2007.07.04

一汪湖水，几亩薄田

一汪湖水，几亩薄田
我的全部家当
那些芦苇、莆菜、莲荷
那些游动的鱼和飞翔的水鸟
那些水稻、大豆、高粱
以及各种时令的蔬菜

远处，那片高高的山冈
埋葬着我的先祖

是的，我没有时间孤独
那样我会死亡
2007.07.05

风中的芦苇

想家的时候，我会想到
那片广袤的芦苇
坚韧、挺拔，年复一年

从青青年华
到头顶一把白雪

我用它的叶子，蒸过馒头、包过粽子
我用它的絮，做过度冬的草鞋
我用它的根，熬过防暑的中药
我在夏天，睡过用它编制的凉席

那片水中的芦苇啊
像站在村头的母亲
她满头的银发
是我今生的乡愁
(2007.07.02)

湿 地

风从我的头上吹过
它是那样柔和
满眼的绿
洗去我一身的疲惫
让我的目光斜倚在你们的身上吧
逗留，或者小憩

此刻，我拥有一座森林
幸福如鸟儿的翅膀
安祥如舒展的野草
我的心事
也如同一潭池水
纯净得映出人影
（2007.07.13西吴庄）

耿 楼

所有出生在这里的人都姓耿
这是一种传承
不知延续了多少年
不知还要延续多少年
但是，耿楼
从我记事的那天起
就不曾见过
你给人想象的华丽
只是些破草房
或普通的青砖绿瓦

一条小河从你身旁流过
有一些水草，和瘦弱的鱼虾
庄稼长在贫瘠的土地上
村庄周围的那些树
没有长成森林
在庄稼欠收的季节，被村里的人
拿去换了口粮

如今我生活在城市里
如果再回到村里
我仍然可以，拎得动锄头
可以清楚地分辩出
哪些是高粱，大豆，玉米

其实，我只不过是
一粒飘在外头的种子
不论长在哪里，都是你的庄稼
2007.07.27

苦　蝉

注定，你是个苦命的行吟者
你的翅膀无法选择季节
无法选择
更宽更大的开阔地
——草原，或通往天际的河流
所以，没有人把你当作候鸟
没有人
把你当作群鸟之王的鹏
你只不过
是一只挣扎、呼唤
为脚下热土歌唱的蝉
你晶莹剔透的泪水
属于太阳
你短暂的生命
只为守候
和太阳有关的每一天
2007.07.28

母　校

不敢高声语
那幢老房子已经太老
木制的结构
被岁月雕刻得单薄
骨骼已经脆弱
经受不起
哪怕一句大声的问候

此刻，它头顶着岁月的沧桑
正被一把大锁紧锁

除此之外
一些新的建筑和人
你看看我，我看看你
却是素不相识

村村通

很久以前
报纸和文件上
就有连篇累牍的消息
说村与村之间
已经通了宽阔的道路

但是，此次回老家
坑凹不平的道路
让我只能以步代车

我的故乡啊
它至今生活在桃源深处

临水而居

你看天空多么蓝
天空之下
湖水多么蓝
临水而居的庄稼
多么安祥
高大成林的树木
多么安祥

让我临水而居吧
做一株水草或水里的鱼
做一棵树或田里的庄稼

或者，就静静地望着湖水
湖水静止，你就静止
湖水流动，你就流动
2007.09.09西吴庄

你看，它们多像一座花园

你看，它们多像一座花园
红的白的，黄的紫的
一簇簇美丽的菊花，在秋天深处
开得鲜艳

哦，这些美丽的花儿
不是开在山野，不是开在田间
而是马路旁边的
一些花草

那些高大的树
却挡不住一阵风来
秋风一起，我看到金黄的叶片
哗哗落地
2007.10.01

第三章：一个人的村庄

晨起，村支书吴道进

多年的习惯
总是比太阳起得还早
村支书吴道进
关心着庄稼的成长

五月的麦田
碧波荡漾
晨曦中的露珠
闪着光芒

目光轻抚麦浪
站在丰收的前沿
满脸胜券在握
满眼丰收景象
2007.05.05

黄金绳

原来用作牲口饲料的
那些稻草，如今被西吴庄人
用简易的机器搓揉成绳
一条条粗细不等的绳索
韧性十足。在钢铁厂里
它们以柔克钢

曾经的盐碱地，不会开花结果
勤劳的西吴庄人没有饿死

凭借草绳的性格
在贫瘠的土地上
他们开辟出北方的江南
鱼米的故乡
2007.05.05

磨刀匠来到了西吴庄

沿黄河而来
像蜜蜂追逐着花香
磨刀匠挑着担子
来到了村庄

勇士们都还在睡觉
被他用魔法唤醒
跃跃欲试
一个个磨拳擦掌

老人们围坐一旁
一边看他磨刀，一边拉着家常
孩子们都不生分
吃着他带来的糖

五月的天空下
麦子们梳妆打扮
像待嫁的新娘
村庄外此刻有些慌张
2007.05.06

五月的事情

1.我想我得抓紧时间了

我想我得抓紧时间了
在麦收之前
做好一切准备工作
把去年的粮囤拾掇一下
把老鼠留下的那个洞
用水泥和石灰填补起来
那把沉睡了一年的镰刀
我得将它唤醒
让它打起精神，与我一起
奔赴五月的战场
那把扬场的木锨
脑袋有些活动了
我要用铁丝把它缠紧
如果爱惜点用
还能再用一两年
一年了
久不握木锨的手
或许有些陌生
我要找个没人的地方
好好练上一练
等到收麦的时候
村里人会夸我：
　"看呐，耿家的老三
真是个扬场的好把式！"
2007.05.16

2.麦子麦子

很远就闻到了
那些麦子的香
那些铺天盖地的麦子
一路金光闪闪
耀眼的锋芒里
惴惴不安
躲藏着我的新娘

新房已布置妥当
我在等待
日子在五月中金黄
我将收割爱
和那激情滚烫
2007.05.17

3.喜事儿

大周庄的周二妮
嫁给了西吴庄的吴大牛
这一天，西吴庄像过大年
都来吃喜酒，都来看热闹
唢呐吹的是百鸟朝凤
鞭炮跟着震天地响

二妮的衣服火一样红
高大丰满的周二妮
一双大眼睛，一袭黑长发
村头老打铁的儿子小打铁
看着新娘子，眼睛有些直

这个17岁的孩子对身边的人说：
　"将来我也要娶一个
像二妮一样的大姑娘。"

说这话的时候
小打铁的脸蛋有些红

媒婆王大婶，眯着会说话的小眼睛
一脸成就感对大牛娘说：
　"他婶子，你看二妮这孩子
你看她多懂事
你看的手多巧
你看她那有劲儿的大腿
你就等着享清福吧
你就等着抱孙子吧……"

大牛他娘，这个守寡多年的苦命人
眼睛也眯成一条缝
突然，她自言自语地说：
　"要是那个死鬼也在，该多好！"
然后扭过头，擦了擦眼睛
那个死鬼，也就是大牛的爹
在大牛三岁时撒手西去
所以，自己儿子的婚礼
他没能参加上
2007.05.18

民间英雄

你见过驴咬人吗，就是
那种连踢带咬的驴子？
《黔之驴》曰："驴不胜怒，蹄之。"
可见，蹄子是驴的武器

然而，西吴庄的这头驴
却撩起蹄子，大张着嘴
疯了一样踢伤咬伤多人
一时鸡飞狗跳

只有一个人没动
他站在路的中央
很多人都捏了把汗
很多人都喊破了嗓子

吴大头的儿子吴小头
从小不爱说话，像个傻子
村里的人都说："吴小头啊，八脚跺不出一个屁来。"
所以，35了，他还打着光棍

那头驴向吴小头扑来
吴小头没抬头，只扬了一下手
"啪"地一声，那头驴
突然间变得温柔

像打虎的武松
吴小头成了英雄
不久，一个带孩子的寡妇

投奔到他的名下
2007.05.18

童　话

总是在夜深人静，向我走来
坐在我的床沿，用诱人的鼻息
扇动我的脆弱，试图
将我从梦中带走
你说走吧走吧，跟我走吧

你这莱茵河的女妖
用歌声做了把刀
你坐在石头上，用香饵
垂钓我的虚荣
让欲望一日一日膨胀

你说走吧走吧，跟我走吧
可是我却醒了
而你，又回到了墙上

我看到一成不变的
是画皮一样的微笑
2007.05.19

民间艺人

吴瘸子是个剃头匠
挑着挑子，走起路来打摆子
好在他挑的不是水
一头是烧碳的炉，一头是工具箱
在西吴庄，吴瘸子是个名人
背靠黄河的西吴庄，离城市很远，没有谁愿意
为了脑袋上的一堆荒草，费时费力
还花很多银子。吴瘸子只收五毛
再怎么说，他的手艺也是祖传的
他的父亲是剃头的，他父亲的父亲也是剃头的
据说，他父亲的父亲，曾鞍前马后
侍奉过那个短命的皇帝
也据说，他的祖母，当年是袁府的丫环
在一个月高星稀的夜晚
被他的祖父，偷偷拐走。从此
他让那个女人为他传种接代；用给皇帝剃过头的手
养家糊口。多年以来，吴瘸子一直羡慕着他的爷爷
他经常说："我要是也找个丫环，该多好！"
如今，吴瘸子50多了，还是光棍一条
那个属于他的丫环，一直没有出现
但是他的手艺得到了真传，他刮脸的技术
早已炉火纯青。在别人的脸上
一把锋利的刀子上下翻飞，而他
却心不在焉。好象不是刮脸，好象是在画画
信手涂鸦。主要心思用来插科打诨
讲他爷爷的风流韵事，讲他心目中的丫环
和年龄相当的妇女打情骂俏
年轻的时候，吴瘸子喜欢过一个女人

夜半爬人家的墙头，喊人家丫环
后来被女人的男人发现，一条腿被打断了
有女人经常说："该死的瘸子，小心你另一条腿！"
吴瘸子就说："瘫了才好，瘫了你养着。"
说话的功夫，一个展新的脑袋
顺利完成。他拍拍这个脑袋，像拍一只西瓜
喝道："来，下一个！"
2005.05.20

六月的乡村

我的村庄此刻睡得安祥
十里的荷
散着淡淡的香
沉默一天的虫子和蛙
开始浅吟低唱
我的父老乡亲
弯了一天的腰，插了一天的秧
像描红绣花
一垄垄碧绿的稻田
横竖成行

明天早上，我要撒上几尾鱼
让它们守候着
来日的稻花飘香
(2007.06.26西吴村)

雨后的菜园

那些被太阳晒弯了腰的
庄稼和蔬菜
一节节直起了腰
那些茄子，昨天还奋着个脑袋
几棵辣椒开出白色的花朵
长豆角爬上高高的藤架
韭菜可以割了
野生的马齿苋
一棵棵肥肥胖胖
(2006.06.27于西吴庄)

雨后的村庄

蛙叫了几个夜晚
满眼的绿
秧苗遮盖了水面
玉米拔节
荷花舒展
村庄像一幅画
淡淡的水彩
挂在眼前

身体格外轻盈
长出翅膀
一些杂念早已沉淀
2007.07.06

等待春暖花开

我的目光短浅，无法企及
那幽暗深邃的明天
太多的苦难
即便使尽全身的力气
也难以扛完

总有一些东西
会淡出我们的视线
我只需一粒温暖的种子
握在掌心
等候春暖花开
2007.07.10

七月十三日，雨

那些长了翅膀的珍珠
它们在空中飞翔
闪闪的，很亮很亮
七月的天空变得生动
七月的稻田
我听到蛙鸣
听到秧苗拔节有声
那美丽的翅膀
歇息在秧苗的身上
雨过天晴
它们会开花结果
它们的果实会更加晶莹
（2007.07.13西吴庄）

梦中的故乡

当最后一声狗叫
沉入夜色深处
我的故乡远离尘嚣
只有一些虫叫
只有一些蛙鸣
只有一弯明月和满天星辰
庄稼双手合什
大地无比安祥

盛产庄稼的土地啊
如果我为你流下了泪水
就让它会化作露珠
守候在庄稼的枝头
2007.07.17

风中的往事

风中的往事
如今，又随着风
飘了回来
陈旧、甚至变了质的
酸甜苦辣
经意或不经意
熟悉而又陌生的东西
像风湿一样
选择季节和天气
它们是我身上的痛

是被我抛弃了的
和痛有关的一些身影
而伤疤
它属于我的生命
2007.07.17

身后的村庄

前进，或者后退，都随风的方向

你的身后，是一座村庄，庄稼
紧随左右，悄然隐藏
它们是一支庞大的队伍，黑夜里闪着光芒

其实是蒲公英、榆钱，或其他植物的种子
其实幻想着，是个长不大的孩子
手持鞭子，斜倚树上，而头顶
是深邃的蓝，和滚动的牛羊

现在，给每一条河流起一个名字
给村庄系一条黄手帕
让它在春天的枝头舞动飘扬
2007.07.18

七月，走在乡间的路上

七月，走在乡间的路上，你看不到
手持吉他的丹佛

还不是秋天
你的脚下没有忧伤
遍地的黄，它们不是落叶
一些蝴蝶迎风生长

是谁轻扣柴门，偶闻犬吠两声
炊烟袅袅
一座村庄熟了
2007.07.19

歌唱的虫子

夜已经深了
虫子们惧怕灯光
灯光一亮
它们就保持沉默

这些弱小的生命
白天看不到它们的身影
奔跑在马路上的不是它们
行走在街头的不是它们
2007.07.25

秋　殇

虽然绿着
虽然，那些绿铺天盖地
但它们的心

已经空了

爱面子的它们啊
就像爱面子的穷人
不愿在外人面前
轻易流露忧伤
所以，你看不到
它们的痛

然而，我看到了
对于生长在雨季里的庄稼
一些果实
过早地被溺死在腹中
2007.09.08西吴庄

我扶起了一棵玉米

我扶起了一棵玉米
或许是风刮的
或许是谁家的狗
不小心蹭的
我把它扶起来之前
它正歪歪斜斜地
躺在地上

秋老虎一样的太阳很大
快要吸干了
它身上的水分
有些叶子已经蔫了

快要成熟的棒子
还没有来得及丰满

其实，我没有费什么劲儿
只用一根木棍和一片
已经黄了的叶子
就让一棵垂死的庄稼
又挺立秋天的枝头
2007.09.11

一天的时间，够了

一天的时间，够了
一条被雨水冲垮的道路
要恢复原貌，按理
需要两三个壮劳力
但是，村里年轻一点儿的男人
都外出打工了
秋收之前，他们不会回来
如果收秋之际，道路仍然不通畅
那么，田地里的粮食
就进不了村子

村里还有个年轻人
不过，他不能和我并肩作战了
一个月前，他在城里打工的时候
从高脚架上摔下来
把一条腿摔断了
你想，我怎么好意思

让一个残疾人陪我一起修路呢？
对于一个三十岁出头的男人
修一条被雨水冲垮的道路
一天的时间，够了

无非，在这一天
我要干上两三个人的活
要流出两三个人的汗
但是，道路修好以后
我就可以
站在村头，迎接丰收的到来
2007.09.12

夜晚，我绕村庄一周

夜晚，我绕村庄一周
该睡的都睡了
月亮之下
秋天的虫子浅吟低唱
秋天的深处
香甜的酣声此起彼伏

月亮之下
该睡的都睡了
我和我的影子脚步轻轻
害怕惊醒那些安祥的梦
害怕惊醒
正在梦中成长的庄稼
2007.09.13

村头的野草

村头的野草
没有人能够阻挡
它们的生长
青了，黄了，甚至
被一场大雪覆盖

拥有四季、风雨、坚强
舒展。你看它们多么舒展
无拘无束，就像一片
自由流淌的海洋
2007.09.14

我让炊烟每天升起

我让炊烟每天升起
让村里的狗
偶尔也叫上两声。土地
该绿时绿着，成熟时金黄

祖宗的坟地，如今只生长荒草
他们把肥沃的土地留给我
顺着风的方向，朝我张望
他们怕我糟蹋了
哪怕一寸的土地

我关心着庄稼的长势
天气，以及天气变化中

庄稼的收成
粮食啊，你让我感到温暖
拥有你我会富有
失去你我将贫穷

或许，我不能够拥有
生命旺盛的种子
但是，土壤肥沃，土壤上的人
身上的汗水肥沃
2007.09.15

秋收之后

秋收之后，我的身影拉长
饱满的粮食回到了村庄
秋日的阳光温暖
粮食，端坐在农家小院
像刚过门的新娘

炊烟升起，一座村子飘香
金黄的树叶奔跑在田埂之上
舞蹈，舞蹈，舞蹈
村庄之外，大地一片苍茫

镰刀，挂在迎风的墙上
累了，我们都累了
大雪之前，我只想歪歪斜斜地
躺在粮仓之上
2007.10.29于西吴庄

秋天，一棵特立独行的麦子

秋天，一棵特立独行的麦子站在田埂上
像小时候，我忘记回家的路
不哭，也不闹
站在路边
等候着自己的亲人

麦子啊，你默不作声
不哭，也不闹
青青的麦芒上，闪着倔强的青光
如果再给你几个晴朗的日子
就可以闻得到
你通体熟透的香

大雪渐渐逼近
或远或近的杨树，正大把大把的
脱落着头发
红薯叶昨晚被霜打黑
懒人家那块棉花的花朵，都挣扎着
逃离黑色的棉桃

此刻，我的衣服厚实
却裹不住，透心的寒
麦子啊，如今我和你一样
都是失去亲人的孩子
今夜，我要为你点燃一堆篝火
陪你度过
一个温暖的夜晚
2007.11.12

幸福像狗一样

1、金黄的稻草垛在家门口

金黄的稻草垛在家门口
高高的，像一座城堡
稻米已经入库
白花花的大米，宁静安祥

村庄之外，十里的荷塘已谢
成群结队的野鸡飞过池塘
飞到远处的森林
那里白雾茫茫

西吴庄，用稻草将秋风拒之门外
一座村庄温暖
来吧，都坐到自家的草垛前
搓揉黄金绳，搓揉秋日的阳光
2007.11.13

2、躺在草垛上看星星

躺在草垛上看星星
什么都不想，什么都不用想
你看，星星如水洗一样

温暖的稻草啊
你的怀抱清香
稻草上的梦，也飘着香
2007.11.13

3、那些说笑的村里人

那些说笑的村里人
不说自家打了多少米
不说自家的米，可以卖多少钱

堆积如山的稻草
打成漂亮的草绳，不知要用多少天
舒展腰身，汗水打在地上，开了花

十多年前，西吴庄靠熬碱度日
那时候他们眉头紧锁
那时候，田里的野花也愁眉不展
2007.11.13

一条老狗

天刚亮，就见它从生根家里走出来
躬躬身子，像刚睡醒的人伸懒腰
然后，"嗖"地一声窜出去……
——天啊，还是那么矫健，简直跟鹿一样

六七百口人的村子有点儿小
二十多年了，对它来说，绝对是轻车熟路
绕村一周用不了一袋烟功夫
所以，很快，它就出现在村中央

它叫上三声，就把一座村庄叫醒了
挨家挨户的门吱吱呀呀一阵儿
笤帚扫地，锅碗瓢勺碰撞

炊烟升起，饭菜飘香

多像一只准时的钟。从一岁那年
就跟在生根后面，每天绕村巡逻
那个时候生根还是村里的民兵连长
现在，生根早已是老村长了

更多的时候它一声不吭，比如现在
它卧在草垛上，半眯着眼睛
看着村里人坐在草垛前
把一把把稻草，打成结实的黄金绳
已经很少有人注意它了
是啊是啊，它开始老了
当年黝黑的毛发没有了光泽
曾经清澈的眼神多了些混浊

但是，谁又能说它真正老了呢
一早把人喊起，夜晚，如果没事
三声狗叫之后，村里人就知道了
西吴庄平安无事儿
2007.11.15

稻草的故事

1、稻草

现在，稻草也能换钱了。
打成绳，一捆捆码齐，放在家门口，
买绳的人就来了：
    "十块钱一捆，中不？"

"中啊，十块就十块。"

十块钱可以改善一天的伙食。
这让吴道进很感慨，吴道进说：
"你看看，你看看，多好啊。"
吴道进说：
"搁几年前，都是些烧锅的货。"

吴道进是村支书。
说这话的时候，脸上写满了笑。
2007.11.15

2、吴老太

吴老太80了还不闲着
一把把往儿媳手里送稻草
儿媳秀英，再把稻草送到机器里
机器里就吐出来一条长长绳子
那些绳子，金灿灿好看

5岁的小玉在逗小狗儿
逗着逗着，把一把稻草撒到头上
头上沾满零乱的稻草
秀英看到了，猛地跳起，一个巴掌过去
说："你这孩子，咋恁不懂事。"

小玉哭了
秀英的闺女，吴老太的孙女不明白
一把稻草，干吗发那么大火啊
吴老太赶忙搂过小孙女心疼地说：
"你看你你看你，打孩子干什么。"

老人们都知道，吴老太苦命
8岁那年被卖到西吴庄
那一天，她头上插了根稻草
那个时候，西吴庄还不种水稻
2007.11.16

听黄河从我的身旁流过

树上的叶子已尽
一朵云从村庄的上空飘过
一群鸟儿，站在金黄的草垛上

麦苗像一张绿色的网
村头的萝卜青青
大白菜，我听到它们的卷心声

冬日的阳光温暖
田野里，来年的庄稼
长势喜人

声声不息的黄河水啊
从我的村庄流过
也从我的身旁，欢快地流过
2007.11.17

小院里盛满阳光

草垛上，麻雀们多么幸福
大雪前后
这里是它们的家

早上的太阳蹦蹦跳跳
我的小院
到处奔跑着阳光
2007.11.18

我听到白菜的卷心声

我听到白菜的卷心声
村头最后的勇士
将冬天的阳光揽在怀里

从北面来的风，一阵紧似一阵
它们要在某个深夜
对村庄发动袭击

哦，大白菜，你将自己裹了又裹
你要将冬天的温暖
全部带回村庄
2007.11.19

一朵花不应该贪婪

一朵花不应该贪婪
该绽放时绽放
凋零时，也不呐喊
2007.11.19

在冬天晒太阳

在冬天晒太阳，太阳暖和
金黄的草垛拒绝风和寒冷
草垛下的村庄暖和

在冬天晒太阳，你才知道
这个世界还有温暖
2007.11.20

调皮的萝卜

调皮的萝卜，在夜间里跳舞
霜降了还不怕冷
风一圈一圈，没有篝火
杨树上的叶子在拍手

跳舞吧，跳舞
像小时候奔跑在雪地上，赤着脚
小手通红地说：
"呵呵，不冷不冷"

不冷不冷
天亮了还裸着身子
东倒西歪
一个个还打着酣
2007.11.20

残　荷

水干涸了，荷塘里
二八年华远去
一道道龟裂写着沧桑
不敢去想，七月八月

七月八月，岁月盈可手握
如今垂首，脚下
幸福依旧饱满
2007.11.21

大雾里的村庄

大雾将村庄围绕
村庄之外，你还能看到什么

一些鸟不知从何处飞来
停留之后，亦不知飞向何方

一条狗围绕着村庄转
几只母鸡咯咯地叫

草垛下面，老人在晒着太阳

远方的森林有些模糊
森林里，不知是否有人
正朝这边张望？
2007.11.22

在太阳落山之前

太阳落山之前
我要将自己燃烧成一段红绸
西吴庄啊
我要给你披上火红的盖头
让你成为人世间
最美的新娘
我愿与你一起
厮守在这人间天堂

夜晚的粮食

夜晚，当我失眠的时候
我身后的粮食，却静得出奇

你瞧，它们多像幸福的孩子
此刻睡得香甜
2007.11.24

赶车的老人

赶车的老人，赶着一头骡拉车
晃晃悠悠，从村头经过
曾经普通的工具
如今，已经很少了

赶车的老人，他要到黄河去
拉沙，或空车回来
老人很老
那头骡子，也已经很老了
2007.11.24

几个娃娃坐在草垛前

几个娃娃坐在草垛前
一边看书
一边晒太阳

金黄的草垛像母亲的怀抱
幸福的孩子们
进入了梦乡

来了只鸡，来了条狗
鸡看了看，狗闻了闻
那些书，它们不懂

在草垛前看书

1.
在草垛前看书
稻草很香
书，也很香

在草垛前看书
慵懒的太阳让人犯困
打个盹，梦也很香
2.
在草垛前看书
邻居的鸡和狗，跑来凑热闹
鸡在一旁找食
狗卧在一旁睡觉
有几只小鸟
站在高高的草垛上头
叽叽喳喳没完
2007.11.26

疼痛与抚摸

1.失眠

老了，老胳膊老腿儿
不中用了
过黄河，去城里打拼
由年轻人去吧

夜太长，蜗牛知道吗
慢得让人心焦
彻夜彻夜地数粮食
一粒一粒
这个冬天，只有它们
才让人安稳
老的太老，小的太小
想多了就想哭
想抱着粮食，哭个痛快

2.倾听

森林里，积叶很厚
一层一层的
快要淹没，曾经青青的草
草已干枯
纷纷伏着身子，把脸
紧贴在地上
此刻，它们要么怀念
要么，倾听
2007.11.27

醉了，我不说醉

醉了，我不说醉
我说——
我要到田地里去看看庄稼
其实，麦苗还浅
还埋不住
一只奔跑的兔子
还有野鸡、白鹭

都到了森林的深处
温暖的森林，落叶一层一层
快要淹没
曾经疯长的野草
干枯的野草多么温柔
它们用沉默听我唠叨
2007.11.27

回家的路上

回家的路上
每一个路口都藏有热情
白杨树，我也认识你们
那些记号已长成黑色的眼睛
风雪再大我不会迷失方向
黄昏中的炊烟向我走来
我闻到饭菜的香
我看到那盆炭火
像罂粟一样火红
2007.12.03

黑夜里，我常常失眠

黑夜里，我常常失眠
亢奋，大睁着眼睛
我比你们还要急不可待

不敢大声说话，蹑手蹑脚走路

你们的身体日趋成熟
拔节声，多么欢愉

东屋已打扫干净
秋收之后，我要像迎亲那样
将你们请入洞房
2007.12.06

和雪有关

1.
如果雪再大一些，天地间
只剩下一层白
灰色的麻雀该有多么打眼
村庄开满了花
村庄的道路上开满了花
房前屋后的角落开满了花
灰色的麻雀，沿着孩子们的脚印
一路叽叽喳喳，议论着
不知是它们的快乐，还是
孩子们的快乐

2.
如果雪再大一些，我会用雪
堆一个小雪人
安上鼻子，画上眼睛
然后，再给它戴上一顶
火红的帽子

3.
狗卧在门面后
鸡在雪地里刨食
一群麻雀飞落在猪圈上
叽叽喳喳地叫
哦，有一头小猪，它的头上落满雪
2008.01.14

告别石桥

我说我数到三，你要再不回头
我就走了，到很远的地方去
很远的地方，不知道还能不能
再见到你的身影

你已经很老了
腰杆一天比一天弯
细心的人，如果细下心来
还能够听到你轻微的咳

一边和你说话，一边放牧的那些羊
已经被我卖了。那些日子多好
我陪着你的孤独
孤独也离我而去

如今你把脑袋深埋
不和我说再见
我走之后，谁还会陪你说话
用温暖的手，捂热你冰凉的身体
2007.12.06

题西吴庄

我没有等到大雪的到来
脑袋里空空的
一棵植物的影子都没有
鸟儿也模糊，翅膀像闪电
一闪，就不见了
来时的路与去时的路一样
还是那样长短，只不过
路边的树粗壮了些
庄稼仍按部就班
——该绿时绿着，该熟时熟着
现在，荷塘已干枯，映日的荷
躲进了来年的夏天
这让我有些伤感
一个过客，匆匆地来，又匆匆地去
眼看着老人变老，孩子们
像拔节的庄稼，一天天往上蹿
哦，亲爱的西吴庄
我什么也带不走
天上的云我带不走
地上的庄稼我带不走
村里的狗我带不走
做过的梦，我也带不走
若干年后，我会走进谁的记忆
谁又会在我的记忆，反复出现
2007.12.21

再见了，西吴庄

再见了，西吴庄
我想与你们，一一握手
或者，深情拥抱
每一棵树，枯了的草，长势较好的麦苗
村庄，村庄里的人，以及
我所熟悉的每一条路
这个冬天过后，我不会再有寒冷
孤独，也远我而去
哦，西吴庄，16个月的记忆
足可以，温暖我的一生
2007.12.25

第四章：边缘生活

烟花，你霎那的美

烟花，你霎那的美
让我眩晕
让我不知所措
我的怀抱空空
你脆弱如同轻盈的昙
只有疼，只有短暂的虚无
给你一年四季的温暖吧
在我的怀里
在我柔柔的目光里
呵护着你
一点一点绽放
2007.02.21

十颗太阳

此刻，我的十指滚烫
每一根手指上
都有一颗太阳
身上的汗水无法将它们熄灭
我开始怀念后羿
那个力大无比的英雄
我想把手伸给他
让他搭弓射箭
只留下一颗放在掌心
该热时我让它热
该凉时我让它凉
(2007.06.25)

鬼 说

从小被吓着长大
动不动就说：鬼来了
那些鬼真是辛苦
至今在传说的路上

我也在路上走
却不再害怕鬼
只是怕遇到
像鬼一样的人

别看他笑容满面
背后却暗藏着刀
2007.06022

与赵小惠先生通电话

当我的朋友姚健，替我拨通
他中学时的同学
我中学时老师的电话
仅从声音上，已经很难辨出
一个16年没见过面的人
会是什么模样
我让她猜我是谁
她猜了一圈，快到联合国了
也没能猜出我是谁
事实上，如果在此之前
我错拨电话，并恰好打到她的手机上

打死我都不信，她会是16年前
当过我班主任，教过我语文的
那个年轻漂亮的女老师
那个时候，刚从周师毕业的她
说一口流利的普通话，她的声音
婉转如百灵
我喜欢听她朗读高尔基的《海燕》
喜欢她在课堂上，把我写的作文
当作范文来读
那个时候我开始喜欢写作
希望能够杀出一条血路
娶一个像她那样
人长得漂亮，普通话也说得好的女人
在我人困马乏之际
读一读我的文章

16年啊，可以把日本鬼子赶跑两次的时间
却让一只百灵，如今声音沙哑
而我也早已到了
三天不刮胡子，就面目全非的模样
2007.07.22

姚健醉酒

青年作家的姚健
（见《散文》07年总第331期63页）
从我的老家淮阳
来到郑州
一些朋友请他喝酒

没想到喝高了
当着我们的面开始乱打电话
先是给周口移动提意见
后又给喜欢的女孩悄悄话
直到把话费打完
仍然言犹未尽
就拿去我的手机继续打
我的那款飞利浦9@9c
已鞍前马后随我多年
一些零件不再敏感
和他有些生分
他用着不得劲儿
说扔了扔了
我给你换个新的
说罢就把手机摔到了地上

第二天酒醒了
但是他已经忘记
醉酒时发生的那些事情
这让我没有脾气
一则我喊他哥
二来他是回民
2007.07.22

天明路

那些炊烟没有飘在乡村
那些香夹杂了太多的异味
那些像赶集一样的人

他们不是农民

一口大锅虚张声势
里面炖有五谷杂粮
几棵逼真的老杨树下
有人在大块吃肉，大口喝酒

这些打着农民幌子的人
偶尔也说几句荤话
但是夜色再深
他们仍然衣光鲜亮
2007.07.25

北上的火车没有翅膀

北上的火车没有翅膀
但它可以穿过
流动的河流及静止的山脉
白天和黑夜一闪而过
满载的心事一闪而过

车到终点
一整车脚下无根的人
把风抛到身后
把石头扔在了地上
2007.08.06

深夜，车过石家庄

深夜，车过石家庄
这里没有我的亲人
我是一名匆匆过客
你满城的梦
不会有我的身影
我只不过
呼吸一下你的空气
看看天空和方向
二十分钟后
我和我的列车
仍将在睡梦中穿行

擦肩而过

火车与火车擦肩而过
火车与村庄擦肩而过
火车与庄稼擦肩而过
火车上：
人与人在走廊里擦肩而过
火车穿行于风中
与窗外的风景擦肩而过

此刻，火车就要抵达终点
我将与火车擦肩而过

车过唐山

车过唐山
车身晃动了一下
桌子上的水杯晃动了一下
我吓了一跳
突然想到：
1976年那个黎明
唐山大地上也晃动了一下
那一次的晃动
整个中国
都跟着都吓了一跳

在乐亭

在乐亭，如果我不说话
从健康路由北向南
折到富强街
再由大钊路或永安路返回
其间，有可能会横穿
玉泉、茂源、金融几条东西大街
或者逛逛：
东安、夏日和大东方三家超市
然后步行到青春广场
仰望大钊纪念馆半天
人来人往，没有人会认为
我是远方而来的客人
但是，只要我一开口
我根深蒂固的河南话

就会让说话如唱歌的乐亭人
一语视破
2007.08.09于乐亭

安景刚

在电力宾馆
大虾、蛏子、青蛤、海螺被端上了桌
安景刚
这个高高大大的汉子
像众多热情好客的乐亭人一样
他选择用海鲜招待我
快两年了
当年在"故乡人"认识的老兄
他的古道热肠
让我们一见如故
2007.08.11乐亭

青春广场

如果，三十八岁之前
我没有成为英雄
没有像英雄那样，轰轰烈烈地活过
那么，我不会再到这里
唱歌、跳舞、滑旱冰
我会躲藏在
三十八岁以后的人生里
默颂一篇叫做《青春》的文章

让那闪着光芒的灵魂
为一向懦弱的我
增添一些勇气，增添一些力量
2007.08.14乐亭

大黑坨的蝉声

你看，这铺天盖地的蝉声
多像在怀念着一个人：
七八岁
过早失去双亲的一个孩子
苦读诗书之余
爬到树上，做过它们的伙伴
是啊，他不会孤独
在他没有来得及孤独的时候
他的翅膀早已坚硬如铁
但是，他的脖颈
却被绳索套住
后来他停止了呼吸
后来他的故乡
响起了铺天盖地的蝉声
2007.08.14乐亭

火车穿过四季

火车穿过四季
植物青了黄了
庄稼一茬一茬

火车上的人一茬一茬
像风一样，火车呼啸而过
火车上——
孩子们渐渐长大，大人们白了头发
终点抵达
记忆随乘客而去
携带着记忆的人头也不回
他们各奔了东西
只剩下一具沉重的躯体，在风中
空空荡荡
2007.08.20

唐山火车站

有些小，甚至，有些脏乱
一些纸屑，乘着风跳跃着舞蹈
一些人行迹匆忙
走入候车室，或走出出站口

华灯初上的广场，你已经感受不到
那场惊天动地的往事
有人在扭秧歌。他们在广场的对面
把锣鼓敲得震天地响

此刻，我站在铁路宾馆304房间
眺望着窗外，等候着1058次列车的到来
10：43分以后，有关唐山的记忆
都将和这个车站有关
2007.08.20

某

不分季节
甚至，不舍昼夜
你的身影乱了我的眼睛
一些幸福或痛

无法寄达的迷离
家徒四壁的爱情
2007.09.11

弱不禁风的女子

弱不禁风的女子
你是风中的一枚叶子
悬挂在深秋的枝头

你是那样的瘦
你让秋天发冷
你硌伤了我的眼睛

如果可以
我想给你一间
用来取暖的房子
2007.09.29

要是能够静止该多好

要是能够静止该多好
就像此刻，我顺着东风路
由东向西地跟着你
时间是6点20分
你在我的前方，很大，也很圆
我感到了温暖
这个世界也感到了温暖

要是能够静止该多好
你在树上，或着山端
那些先我一步的人们
此刻也正享受着温暖
如果我加快步子
就能够赶得上
正在中途休息的亲人
2007.09.20

1992年的王城公园

那是一个晚上
那个晚上，天是黑的，你是黑的，我是黑的
王城公园也是黑的
黑得我看不到，你的眼睛里
流淌着怎样的深不可测
我试图在黑暗中伸出胆怯的手
趁着夜色
抓住一根可以挽救青春的稻草

紧握它、温暖它、融化它

但是你闪开了
你轻而易举地闪开了
一场还没来得及开花的爱情

十好几年了，如今
关于王城公园那个夜晚的往事
除了天上那颗闪着狡诈眼睛的星星
有谁还曾记得，有个少年
他的脸红了一夜
2007.09.01

大 风

大风啊
被激怒的灵魂
所有的东西都动了起来
我的心也跟着动了起来
你们来自哪里
中秋刚过，是谁将你们抛弃
从香甜的月饼中走出
无家可归，所以
我看到你们
发怒或暴跳如雷

我会记住这个日子：
农历的八月十七
月亮隐去

一片片树叶落地
我的身体发凉
秋天深了
2007.09.27

有多少落叶就有多少痛

有多少落叶，就有多少痛
单薄的青衫，难以抵挡刺骨的寒
记忆不是取暖的柴火，记忆越深
温暖就距我越远

秋风之外的人
秋风之外的事
当秋风四起
我守不住一丝温暖
2007.10.10

空 城

不要说话、咳嗽，不要
把脚步跺得山响
凌晨2时，大街上
空气新鲜，街道安静

路灯慵懒，在法桐的阴影里
雨后，微凉的秋风让人清醒
让梦中人，将梦裹了又裹

所有的真实与你无关
所有的梦境与你无关
在钢筋水泥面前，难以融汇的
是你的灵魂和梦
2007.10.13

三　明

桉树，香蕉，头顶白雪的线苇
毛竹，此刻也郁郁葱葱
它们都生长在山上
车辆一闪而过

一闪而过的，还有陈年记忆
触动心尖的
有一些疼痛，有一些甜
2007.11.12

沙　河

如果，一叶扁舟飞流直下
风景疾驰而过
执扇的书生站立船头
河道弯几弯，心就跳几跳

庄稼渐次熟悉
青砖绿瓦的房子渐次熟悉
有人招手呼喊

声音很熟悉

沙河啊，你和我的乳名一样
被闲置得太久太久
不通航的日子里，我距我的故乡
愈来愈远
2007.12.18

给广超

我一直认为，淮阳街头的胡辣汤
比酒好喝
西华逍遥镇的也是
所以，在漯河，我不愿与你拼酒
醉了，就什么都记不得了
你带我去北舞渡，在寒冷的冬天
喝一碗他乡的胡辣汤
身体变得暖和
就像当年，我们在淮阳
喝完汤后的那种暖和
2007.12.17

北舞渡

我不是打马而来，所以
错过了繁华的盛会
街面上有些冷清
吹七音骨笛的人已远去

只剩下那坛老酒
九千年后还散发着香

哦，北舞渡
对于姗姗来迟者，你只用一碗汤
就温暖了我的身体
2007.12.17

大　雾

去往安阳的路上，雾很大
司机说，视线不过三米
透过车窗，三米之外，我看到天地朦胧

我说，往前开吧，只要路是直的，咱们
就永远到不了天上

没有去过天上，不知道那里的景致
是否也这样模糊
2007.12.01

羑里城的"羑"

羑里城的"羑"
音不读"姜"，也不读"羌"
"羊"字不出头，下面再加一久字，读"you"

读这个字的时候，你可以想象

曾经，这块土地多么肥沃
牛羊遍地，水草丰美

如果你突然想到那座城
它就悲壮地成为
中国最早的一座监狱
2007.12

在汤阴

在汤阴，你可以大口喝酒
喝醉了，就去见西伯昌和岳飞
好好研习《周易》
或投奔到岳元帅帐下
做一名骁勇的偏将
2007.12.01

尹造文

搜索自己名字，却搜到了你
这是一个午后，窗外正飘着雪
寒冷的北方徒添一丝暖意
而你在千里之外
在那座叫春城的城市里工作生活
我们已经很少联系了
脱下军装之后，就没了书信，也没了电话
我此刻很难想象你真正的模样
是你的诗歌触动了我

字里行间，你仍然热情奔放，对生活
仍然充满着热爱
而我，又怎能忘记那段人生岁月：
滇东的富宁，北京的昌平，昆明机场附近，你为我送行时
那家颇具特色的餐馆
哦，还有你的宝贝女儿，她是多么可爱
（2008.01.14小雪）

虚　无

尊严是遮羞布
高低贵贱，只不过是行尸走肉
没有什么卑鄙高尚
不说出的话才是心里话
不做出的事情才有纯洁性
微笑，就一定快乐吗
真理被埋藏在心灵深处
阳光无法照耀
它是易碎品
轻轻一碰，便有可能
消失殆尽
2008.02.29

让我用泪水洗去你的疼

我看见血在汩汩地流
那么大一个口子，瞬间撕裂
尖锐声刺破我的耳鼓，停留在

心灵的最深处
此刻，记忆是如此地疼

山和房屋多么脆弱
老人和孩子多么脆弱
多么脆弱
而我两手空空，无法撑起
哪怕一片呼吸的地方

让我用泪水滋润你干裂的唇
让我用泪水洗去你的疼
让我的祝福与你同在
让祝福陪伴着你
一寸一寸融入的土地
（2008.5.13）

存　在

其实，我已经忘记了季节
在这座城市里，太阳还算勤快
除此，只剩下一幢幢高楼
和无聊的汽车尾气

没有季节的提醒，我会疲惫
头发，一根根白了
还有胡子，生命力如此顽强
但它们不是庄稼
成熟，收获的不是粮食

此刻，我是多么怀念
赤脚走过田野的岁月
还有那个雨季，江南的梅子
吐出的丝丝诱惑
让我感到真实的存在
08/07/25

无　关

快乐的人带着快乐
去寻找更大的快乐
他们挥舞着旗帜，一路招摇过市

只剩下一丝丝地疼
我把它揽在怀里
这种疼，与天气无关
08/07/25

云台村

或许，百余年前
我曾经打此路过
那时，我肩挑货担，或紧随马帮身后

现在，又是深秋
黄花岭的红叶红了
整座山像在燃烧
村里人都下山了

留下一座山，一些房，还有
满天彩霞，以及清澈的星斗

重渡沟

每一片叶子上都生长着一枚月亮
每一枚月亮都是那样蓝
像婴儿的眼睛
水汪汪纯洁，水汪汪明亮

哦，重渡沟
今夜，让我也成为一轮圆月吧
高高地悬挂在
你这北方竹海的枝头

太阳出来了，雪在融化

1
太阳出来了，雪在融化
洁白的云，它们像幸福的羊群
羊群在我的头顶奔跑
大地依旧湿冷
冰雪消融，小草还在沉睡
有歌唱声传来，仿佛在遥远的天际
我的耳朵，一阵又一阵微疼

2
不知道你们的去向，不知道
是不是要奔往天堂
悠闲而又散漫的羊群
让我的想象，变得疲惫
3
奔跑吧，奔跑
一刻也不要停留
我的掌声，代表不了我的思想
2008.02.28

一些往事开始清晰

秋风中，一些往事开始清晰
如同叶片上的纹路，斜躺在秋天的深处
像荡秋千，一晃一晃的

我看到你们行迹匆忙，头也不回
仿佛，所有的一切与我无关
所有的人和事与我无关

天已经很冷了
大地裸露着灰白的骨骼
坚硬得发不出嫩芽

是谁将我遗弃在秋天的深处
进也不是，退也不是
只有落叶遍地

秋收过后
我只有裹紧身上的衣服，紧闭双眼
抵御着寒风的侵袭
2008.02.28

京　城

一切色彩都不再重要。
只有声音穿过
高架桥，以及森林一样的高楼
成群结队
像四处蔓延的汽车尾气。

无法拒绝
这份陌生和嘈杂，
究竟，哪里是东，哪里是西？

此刻，我多像一根盲人的拐杖
敲敲打打
行走在城市的边缘。
08.12.20

浅评耳朵的《磨刀匠来到了村庄》

●/回到拉萨

艾青说，生活是艺术生长的最肥沃的土壤，思想与情感必须在它的底层蔓延自己的根须。读耳朵的这首《磨刀匠来到了村庄》，顺着他语言的流淌，流淌成乡村的一幅画，是那么地熟悉和亲切，也是我童年时代早已熟识的。耳朵笔下的乡村是宁静和谐的，那里的人们勤劳善良，这是作者经历过的，也是以后所希望的。现在生活在城市中的耳朵，用诗歌的语言叙述一件乡村的事情，而且表达的那么完美，灵动和到位，不能不说耳朵是一个文学功底很高的人，不能不说耳朵的情感世界是很丰富的。耳朵的老家在淮阳，那是一片广阔的平原，他在那片肥沃的土地长大，出走，但耳朵的根须还在那里。那片土地给予了他生命，养育了他，这就足够了。对于一个恋家的人，不论他走多远，不管现在他处在一个什么样的位子，他的心永远和家乡相连。家乡虽然贫穷、落后，但对他来说，却是一种吸引。他开始为这种吸引而歌唱，他的歌唱或许不够高亢，只通过对极其细微的事件进行平稳的表述，并让读者去感受作者本人的感受，感受生活在那片土地上的人们，这就是耳朵的独特之处。你在他的这首诗歌里，可以听到音乐的音符摇摆出悦耳朴素的音节。他所给你的声音，不是西洋乐，而是中国乡村那种独有的乐器。人生，所经历的就是最大的财富。在耳朵的《云南映象之系列》中，充分验证了这一点。没有生活，没有阅历，写的再好的诗歌也是乏味和空洞的。

《磨刀匠来到了村庄》作者用叙述的手法给我们展开："沿黄河而来／像蜜蜂追逐着花香"。第一句是很平常的，在这里做一个铺垫作用。紧跟着用一句蓄势，但很灵动的力量展开"／磨刀匠挑着担子／来到了村庄"很口语的把人物带进诗歌的画面。读完全首诗歌，我们可以对这一节有更深的理解：磨刀匠嗅着将要成熟的麦子的香味，来到了村庄。那些生锈的镰刀在等着他，那些勤劳的村民也在等待着他，唤醒他们冬天春天还散倦的梦。

"勇士们都还在睡觉／被他用魔法唤醒／跃跃欲试／一个个磨拳擦掌"。在河南平原农村生活过的人都很清楚，冬天和春天，是农民较为惬意的时候（这里说的是以前的农村现象）。在冬、夏两个农闲季节，他们有着相对悠闲轻松的日子。磨刀匠来了，磨刀匠用他磨刀的声音，告诉那些还在太阳下打盹的人，麦子快熟了。收获，是令人心动的事情，那些可爱的人们好象忽然被注入了力量。这样的力量，来自泥土的召唤。收获，更是他们梦中的期待。

"五月的天空下／麦子们梳妆打扮／像待嫁的新娘／村庄外此刻有些慌张"。你可以把五月的麦子想像成待嫁的新娘吗？耳朵能，麦子在耳朵眼里是一位姑娘，在五月金黄的太阳中，她们悄然成熟，像将要出嫁的新娘。新娘在五月里梳妆打扮，迎娶她们的是谁呢？是那些生活在村庄的人们，他们为了迎娶新娘，和麦子们一样，看似风平浪静，其实内心里早已激情荡漾，这是丰收在望的心理，也是对丰收的渴望。(回到拉萨2007年6月8日于义马)

站在神秘与不神秘之间

——读耳朵的《印象云南》

●/白地

云南，一个带着风的名字，它带着人们的思绪无限地奔跑，这就好像耳朵先生笔下的《印象云南》，它们也就是这样带着我们的思绪奔跑的。耳朵先生的云南诗卷就这样被摊开——在一个个温柔的陷井里，在一片片带着风的的土地上。

"那些野芦好象疯了/占据着整个秋天/滇东南被染了霜/让你看不到/它裸露的红"，没有哪个画家不希望自己画笔下的物体是鲜活的，也没有哪一个诗人不希望自己的文字是灵动的，只是在表述上，一个运用色彩，一个运用文字。不同的架构往往会形成不同的风格，相同的，即是艺术的终极性，就是通过各自的语言，让色彩走下画框，将文字化蛹为蝶。

明显地，耳朵先生意识到了这一规律。在他的《滇东南》中，仅用短短的 16 行，就用一种惟美情素，为我们勾勒出童话般的殿堂。"那个秋天我走得很深 / 把自己迷失在 / 海一样的芦苇荡"，他是一个甘愿活在童话中的孩子？还是一个甘愿将自己的一生浸泡在无边无际的迷茫回忆中的人？在耳朵先生的这首诗中，我们看到，"迷失"其实就是跟着感觉走，"迷失"就是找到了一条属于自己的路。

耳朵先生用纯朴、轻灵和内化的语言成功构建了这首诗歌的整体，他不需要运用技巧、技术与繁冗的语词，就已然将滇东南幻化为了一只彩蝶，带我们飞向遥远，飞向美丽，使我们亦在他的"画"中"洁白如雪"。

泸沽湖，神秘的女儿国，杨二车娜姆的故乡，在耳朵先生的诗中，泸沽湖充满了女性的气息，这是一种成长的气息：

"把自己透明成水 / 让幸福悄然隐藏 / 远方的歌声愈来愈近 / 独倚在门后 / 脸庞发烫 // 百褶裙泛起涟漪 / 激起了层层波浪 / 猪槽船被惊醒 / 伸了个懒腰 / 月色里晃了几晃 // 受人尊敬的老母亲 / 深居简出 / 岁月的褶子爬满脸 / 亲切的纹路 / 情深意长"（耳朵《泸沽湖》）。诗歌第一节是羞涩少女的形象，第二节是月色少妇的形象，第三节，则是母亲的形象。而这些形象又不仅仅只是形象，在这些字里行间，耳朵先生把握到了垂直于向往与抵达之间的一个度，也就是由命运的莫测变幻与生命的永恒交错而成的一种美丽。这种美丽的取向是女性，它无疑带给了耳朵狂大的幻想，在他的其他诗中，也是显露无疑，比如"疯妮子 / 把家安在枝头 / 率真的性格张扬 / 把一条红裙子 / 舞成了火"（耳朵《木棉花》），"婷婷女子 / 穿过浓郁竹林 / 款款而来 / 一路眉清目秀"（耳朵《瑞丽，瑞丽》）等。在这种充满女性色彩的诗行里，我们看到的是一个内心温厚的耳朵先生，那绵软的语词间反射的是站立于神秘与不神秘间的唯美主义和不倦幻想。

由此得出，耳朵是一个善于挖掘生命色彩的一个人，因此，他在每天的忙碌与疲惫之后，还能骄傲又平和地生活着。他或许从表面上自满于自己的生活，而在暗中，却隐藏了柔软的疼痛，诸如"水洗的夜晚 / 山茅草结出珍珠 / 月牙船不愿睡去 / 一座村庄失眠"（耳朵《茅草坪》），"我的女神 / 你冰冷的唇 / 将我封在千年的雪山 / 我的心热了凉了 / 凉了热了 / 拒我千里之外"（耳朵《梅里雪山》），"你这个成熟的男人 / 把哀愁与苦 / 紧锁在眉宇深处 / 一些陈年旧事 / 耿耿于怀 / 比如那个叫神仙的姑娘"（耳朵《无量山》），等等，我不确定他的疼痛是什么，是爱情？是渴望？还是追忆？总之，那是他最隐秘的一部分。他将这种似藏非藏、欲言又止的表达视为一种快乐，这就是他抒写的需要与理由，也是他在这个物与欲相涌的社里对精神平衡的求索过程。

也或许，这仅仅只是一种情结，这种情结不一定痛也不一定快乐，也或许平淡，只是经过岁月冲洗，才意识到，它曾经属于生命。因此，他充满对岁月的感激，对过去的感激，对未曾得到的一切的感激。人，正因为有了过去，才明确了自己真正的需要，以及未来的需要。在这点上，耳朵先生是有自知之明的。听他说曾在云南呆过三年，仅仅三年，就已然将他的灵魂浸染，那所有对他有知遇之恩的人，都成了他思念的魂。那是不含杂质的，正如云之南的风一样，正如他的诗歌中流淌的色彩一样，清纯，朴实。

人的脆弱，卑微与弱小，就是被耳朵先生这轻盈的诗行催化着。而在这些之后，那些诗行又令人看到了另一面：坚忍与执拗。不过，这没有给人带来直接的欣喜，而是沉默和沉思。当我们在用心体会他那些朴实无华直白得如同雪地一样的诗行的时候，也就只有沉默和深思。"云杉坪，你们的新房 / 高高的雪山上 / 雪莲花并蒂 / 那是你们爱情的结晶"（耳朵《云杉坪》），"总是生命高昂 / 山上山下 / 贫困的生活 / 决不让一双鞋子 / 挡住去路"（耳朵《赤脚》），这是一种被人性的脆弱催生出来的渴望与期盼，它们滋生一个诗人的坚硬的梦想，也使那个他生命中的风一样的云南越来越具体。

而如《芭蕉芭蕉》《雪李雪李》《鸡枞鸡枞》《版纳版纳我的版纳》《瑞丽瑞丽》《荞麦荞麦》这样形式的题目在耳朵的《印象云南》中的重复出现，似乎更代表了耳朵先生的幽深情怀与深切思念。它们就好像是耳朵先生在现在居住着的河南土地上，朝着云之南发出的一声又一声深情呼唤，于是，《印象云南》中的所有映像集结的所有神秘似乎又不神秘了，它们正在悄悄地传递着这种呼唤——我们分明听到，那些呼唤里有风的声音，风声潺然。（白地，诗人。浙江海盐人，现为某报编辑。）

以爱的名义，印象云南

●/周明全

耳朵不是诗人，耳朵在写诗。以诗的形式来表达自己对第二故乡云南的爱，但耳朵却是一个真正的好诗人。因为他始终怀着一颗赤子的心，回望云南的战友，回望云南的亲人，回望云南的山山水水、一草一木。诗人写诗是"情动于中"的，诗人所表现的都是他最为激动、感到非陈诗不足于展其义，非长歌不足于骋其情的东西。内心的爱、感恩的情怀成就了耳朵、成就了耳朵的诗歌。耳朵是一个诗人，一个真正优秀的诗人。耳朵具备了作为一个诗人所应该拥有的一切丰富情感。

耳朵说：云南作为我生命的第二故乡，是属于青春的，属于激情的，而青春和激情是属于诗歌的；对云南有一种情结，挥之不去的情结，而我对情结的理解，无非是一些人，一些花草树木。而诗歌作为一种分行的文学体裁，是一种情感的凝练，能将自己的情怀很好地释怀。

马雅可夫斯基说：诗人要想写出在几千年都能使亿万人心灵激荡的诗，就必须从几千吨语言的矿藏中去提炼最足于表达诗内容的词句。在这一点上，耳朵做到了，在众多素有美名的文字中，他提炼出了两个字——云南。云南这两个字，本身就富含诗意，从耳朵的《印象云南》中，我们不难看出，云南是他感情燃烧的地域。

在《印象云南》诗组第一首《首长》中，耳朵这样写道：那一个彩云飘荡的地方/是我一生的遗憾/因为，除了思念/还是思念。27个字，短短的27个字，注解了耳朵创作《印象云南》的所有内涵。对于一个文学题材，27个字，让人感觉到了单薄。但对于耳朵，这27个字却是他一生都无法走出的情感体验，对于曾经养育过耳朵的云南，这短短27个字，已然让耳朵心中的故乡生辉了。这就像一个母亲，十月怀胎，辛辛苦苦地养育了自己的儿子，父母图什么回报吗？什么也不图，只图孩子无论天涯、还是海角，心中都永远装着母亲。耳朵曾不止一次说：对云南，我始终怀有一颗感恩的心，云南养育了我。

陆机在《文赋》中说：诗缘情而绮靡；姜夔指出，情不深则无以惊心动魄。白居易说：诗者，根情……在耳朵已经完成的《印象云南》37个篇章中，每一首诗、甚至每一行、每一个词汇都浸透着耳朵浓浓的深情。无论写地域的《滇东南》、《丽江》、《普者黑》、《麻栗坡》，还是寓情于《仙人果》、《芭蕉、芭蕉》、《雪李、雪李》、《鸡枞、鸡枞》，都荡漾着耳朵对云南的深情。诗人没有激情，写不出诗来，诗中没有抒发出感情，就不能打动读者的心灵，也不能认为是好诗。所有论证的出发点，最终的归宿都在自然地指向、交融到了一起，那这个点就是爱，就是一个赤子对云南山山水水、一草一木的爱。交融的背后，一个声音在呐喊，耳朵是一个赤子，《印象云南》是一组好诗。

感情是诗歌的灵魂。但在谈论诗歌的感情之后，诗歌的意想就是不得不谈及的话题。在诗的意想晦涩、朦胧得让人无法理解的当代诗坛，耳朵的诗显得很浅显易懂。当然，我指的浅显易懂不是说耳朵的诗本身浅薄，而是说其深刻意义、直透在诗歌中的爱意容易让人理解，容易让人产生共鸣。真正的爱、真正的情感自然的流露，需要那些晦涩的意想吗？不是说，世界上最美、最感人的情书是凭借激情，草草地书写在一张随手抓起的纸上，前言不搭后语的那种吗？耳朵的诗，在我认为，就是那种凭借对云南的爱而激情勃发的我文字，需要那些难懂的意想吗？

耳朵曾经是个军人，现在虽然解甲了，但依旧保留着军人的气度，军人的刚毅，男人的纯粹。这样的为人之道，遂之赋予了他的《印象云南》同样的气度与纯粹。只是在诗歌创作的道路上，耳朵还刚刚起步，这就难免让他有部分诗还缺乏更好的通向读者心灵的艺术魅力，还启发诗应有的张力与向度。但这不要紧，耳朵在路上，在路上，就有无限中可能。在与耳朵聊天中，他说：在最初的激情创作之后，我开始在思考，思考一种更能表达自己情感、更好地表达自己对云南爱的表现形式，沉淀过后，我会更怀激情地去继续创作我的《印象云南》。

耳朵在以爱的名义书写他的《印象云南》，希望在爱的名义、爱的牵引下，耳朵和他的《印象云南》会更成熟，能走得更远。（作者系云南某杂志编辑）

耳朵与周明全的对话：
有一种情结，叫挥之不去

周明全（以下简称周）：是什么促使你创作这组《印象云南》的?

耳朵：我十分清楚，越是美的东西，越不能在心里停留过久，因为这会引发人的贪婪。在离开云南的这些年里，我曾经试图忘记它的美丽，正如忘记一些爱和伤痛。但是却挥之不去。其实我在云南的时间并不算长，仅仅三年半的时间。但是一些记忆，已被植入灵魂深处。今年的清明节那天，当老首长刘志和突然把电话打到家里，我感到意外的同时，也被深深感动。这才知道，这么多年里，我并没有真正地忘记云南，云南也没有把我忘记。一切都缘于一个电话，一个温馨的电话，唤醒一段沉睡的记忆。那些战友，那些花草，那些山山水水，在一个又一个夜晚，花朵一样次第绽放，并且鲜活如昨。

周：在众多体裁中，你为何衷情与诗歌?

耳朵：其实我是不懂诗歌的，起码在写《印象》之前，我没有从事过诗歌创作。此前我用小说或散文，写过一些云南的东西，比如那里的风土人情和一些小的细节。散文这种文体，可以把一个物体写得细腻有加，把感受舒展得淋漓尽致，就像沈从文，把《云南看云》写到极致。但实际上，我心中的云南太大太大，大到一片云彩都无法覆盖。所以在写《印象》的时候，我选择了陌生的诗歌，因为诗歌是文体的浓缩，可以天马行空，可以无拘无束，可以自由挥洒。

周：你对诗歌的理解?

耳朵：诗歌是一种写意，如国画，想象的空间越大，表现的形式就越多。

周：从军的经历对你创作有影响吗？影响了什么？

耳朵：部队是所大学校，没有昨天的军营生活，就没有我今天的丰富人生。虽然脱下了军装，但骨子里依然流淌着军人的血－－那是一种精神，军人的不屈以及向上的精神。

周：如果有来生，还会选择来从军吗？还会选择来云南吗？

耳朵：骨子里的东西，是无法改变的，骨子里流淌的血，也会一如继往。我热爱着云南，不论岁月如何变化，那都是我灵魂的故乡。

周：在《印象》云南中，你已经写了一些被你赋予情感的花草树木、
地域。在今后的创作中，你还将以哪些物体来表达自己对云南的感
情？

耳朵：云南是写不完道不尽的，如飘荡在天空上的彩云，会时时变化，而不变的，则是对它的爱，爱是属于心灵的，有多少爱，就有多少一往情深。那些花草树木都在成长，那些彩色云朵都在变化，而我的目光，也会追逐着它们，并和它们一道成长。（2005.05.24）(周明全，作家，云南某杂志编辑。)

耳朵和他的新田园诗

——兼评《金黄的稻草垛在家门口》（组）的对应关系

●/河南琳子

耳朵的诗应该称为新的田园诗。

田园诗和农村诗或者乡土诗有一些不同。我认为，田园诗注重是一种情感上的放牧。农村题材只是圈定了写作材料，写法上侧重立足土地却又有些高蹈。乡土诗也是一种规划，是一种客居他乡的游子脱离乡村之后，却又远远地幻想着乡村感恩着乡村，所以很多乡土诗都写的情感重复，写法重复。这两种诗歌都存在着较深的历史性和局限性，因此，读厌倦这类诗情的人曾呼吁要对它们进行一场彻底的诗歌革命。

田园诗则不同。我认为，新的田园诗就应该是耳朵这种样式的，即：现场中的情感放牧。

西吴庄是一个靠近黄河的村庄，它偏离大都市，有一段开阔的黄河，黄河北岸是一处的平原，平原的成分是沙地、树林、野草、稻谷、荷塘等。所以，这就是一个充满田园情感的现场。

我再次说到现场。诗歌的现场是一首诗存在的宽度，诗人在场是一种理念，能让诗不段地产生亲和力。所以，现场也就是写诗的人创造的一大批具体事物，他必须把这些具体的事物赋予名词和动词，让它们出现速度、色彩和情态。诗人在场就是说这首诗中展现的所有事物，都是他亲临的，是他参与的，是他俯视的，也是他用情感控制的。那么作为田园诗，耳朵有一种选择：即：远离喧嚣，制造宁静，体会和谐。

《金黄的稻草垛在家门口》是一首非常独到的诗。读这首诗歌我们很快被吸引，被感染。这首先在于作者把自己完全放进了这样一个独特的现场。全诗共三段，第一段第一句直接切入主题："金黄的稻草垛在家门口/高高的，像一座城堡"稻草是一种诗性且非常美丽的东西，它因为具有粮食的外壳和气息而成为一种有质感的诗歌元素，而且，这个词语还有一种潜在的情感因素就是，它还暗示了稻草以外的东西，所谓词语的生长就是这个问题。比如：收割以后才是稻草，那么这里就存在着"收割"以及"收割"之后的一些过程。所以，作者一眼看破了这个村庄的机密。是啊，想想看，一个村庄难道不是由稻草和谷壳组成的吗？它们存在于街头，形成最直接最有形状的农村事物。但接下来作者又很逼真很自然地把稻草进行了置换："高高的，像一座城堡。"这种置换"唰"地点亮了我们的眼睛：城堡和稻草就有了一种神秘的对应关系，一种柔软和坚硬的同时出现，诗歌在这里轰然打开。想想吧，稻草是什么？原来，稻草可以当成城堡来阅读。那么城堡作为家门口堆积起来的一种建筑多么关键，它坚固，能抵抗饥饿和寒冷，这是多么让人信赖和眷恋。所以，我们说稻草这个词语因为被作者赋予城堡这样一个概念而瞬时丰富起来，沉淀起来。

村庄之外，十里的荷塘已谢

成群结队的野鸡飞过池塘

飞到远处的森林

那里白雾茫茫

第二段也有一个层次：野鸡对应的去处是森林：但森林"那里白雾茫茫"。这个句子在不经意的地方发生了微妙而不可忽视的作用：真实的现场出现了大雾这种隐蔽的世界，白茫茫遮蔽下的会有什么？这就是另一层空间，最少让我们想到那是另外一个湿润的世界，一个霜降的世界，一个只有野生飞禽才能进入的世界。所以，诗歌在这里出现了开阔的场景，让人翘首。

我们再读第三段，也是全诗最灿烂的部位，最和谐的部位：

西吴庄，用稻草将秋风拒之门外

一座村庄温暖

来吧，都坐到自家的草垛前

搓揉黄金绳，搓揉秋日的阳光

这里展开一种更大的对应关系。西吴庄对应了一个村庄的温暖。西吴庄的村民对应了极其自然柔软的人情世态：坐到自家的草垛前"搓揉黄金绳"。这种对事物着眼非常朴实，既真实又直接，既亲切又有情态，既安静又温暖。全诗在这里达到了一种被阅读的高潮，一种愉悦在我们内心慢慢升起，全身心都得到一种放逐。

应该说，耳朵的田园诗很注重取舍。田园是一种风光，风光中的情态不但要独特，还要有充足、饱满个人情绪。所谓情感上的放牧自然是一种远距离的凝望和停泊。耳朵本身不在农村生活，他是大都市的公务员，那么他的放牧在选择上抛弃了黑色，选择了恬淡。也就是说，他能够逃避现实生活中不光彩的一面，那些疼痛交给别的诗人去发掘吧，我要我的宁静、和谐、美好。那么他的宁静、和谐和美好果然就出现，就存在。

《躺在草垛上看星星》是一首非常抒情的诗，它的抒情纯洁到只有自我的独语。但是，他在诗里说自己没有想法，没有话。所以，"躺在草垛上看星星"，他什么也不想，什么也不说，他的目的在于要澄清这样的一种感受：

温暖的稻草啊

你的怀抱清香

稻草上的梦，也飘着香

这里的"稻草上的梦，也飘着香"是极其唯美的一笔，甚至光滑湿润到像瓷。他就是这样能够沉浸在这样温暖美好的牧场，进入一种游离状态，进入到一种自我创造的宁静和淡薄。

田园诗应该怎么融合新的元素，我想，这是一个值得思考的问题。新的田园诗肯定要区别于古典的田园诗，它要遵循历史，又要破坏历史。遵循历史是因为我们记忆中有它的模式，破坏历史是因为我们需要创造新的田园和新的自我。文字的组合有无限机密，新诗的发展刚刚开始。因此，作为一种题材，作者既要保留自我，又要突破自我，所以耳朵的探索只能说刚刚开始。

阅读耳朵的烟花

●/王清音

读文，如赏物；品诗，如读人。读隽永的美文，需要"触电"的感觉。耳朵的每篇文字都是新鲜的，总是给人"小乔初见"、"惊为天人"的感觉。之前读耳朵的"云南映象系列"诗歌，已经饱了异域风光的眼福；后读耳朵"西吴庄乡村系列"诗歌，令人疑似陶渊明再生！第一次读耳朵节日味道浓郁的《烟花，你霎那的美》，感觉耳朵情怀已经从传奇回忆与乡村采风中转向城市，而"烟花"，这一城乡皆宜的节日风情，正在把耳朵的视线引向都市的上空。

从精美绝伦的元宵节之夜出来，走进耳朵《烟花，你霎那的美》。初读题目，心灵为之震颤。烟花，这来自人间、开自天上、瞬间乍泄的人造风光，给人多少赞叹与遐思；烟花，这举世瞩目、风情万种的世间尤物，引出多少人生的思考与感怀；烟花，这沿袭千年、吉庆如意的象征，古老文明和传统的见证，给人多少怀古咏今的启示。

世间描摹烟花的诗句甚多，而耳朵情怀却与他人迥异。这应与耳朵多才多艺的人生修为有关。耳朵擅独处，长于安静思考。爱玉，则藏玉，如金屋藏娇。爱茶，则品茶，如与高士参悟人生。爱诗，著诗，则佳作不断；酷爱书法，则经年挥笔不辍，收获丰厚。耳朵是个军人，有着不平凡的人生，自然见多识广、胸怀宽阔；和风细雨的文墨铺陈之中，自有一番安邦定国、服务于民的济世情怀。而作为一个情商与智商都在芸芸众生之上的青年诗人，英雄美人、儿女情长的感触也会在笔端时有流露。即使在这样激情飞扬的节日，耳朵依旧保持着一份泰然自若、安淡闲适、达观悲悯的情怀，悠闲自得之中别有一番怜香惜玉之心。

读耳朵笔下的"烟花"，能够使人联想到烟花绽放、消散的样子，落英坠地的窘寥。"烟花，你霎那的美/让我眩晕"，"霎那"一词简洁精准地概括出烟花行踪诡异、稍纵即逝的特点。一夜烟花，莅临良辰美景，与我们如此之近，又如此之远；近，近得似乎触手可及；远，远得如隔天上人间。烟花，恍如一梦，恍如一次难以释怀的邂逅，给人无尽的叹息、希冀与遐思。"眩晕"一词，从观众仰视的角度，侧面写烟花之美，如同汉乐府中"罗敷"在世，美人乍现，令人眼花缭乱、目不暇接，更令人倾心且倾倒。

　　"让我不知所措/我的怀抱空空"，继续从作者观感的角度侧面衬托烟花之美、之虚无，宣泄诗人感触之空灵、之渺茫。其间情怀，恰似：欲携佳人入梦，却见梦如风，难以捕捉；欲揽月入怀，却见月如水，无从采撷。"不知所措"，极言"烟花"性情之乖张、难以捉摸，摆在作者面前的一份似乎唾手可得的惊喜，来也匆匆，去得匆匆，令人惋惜。"空空"一词极言作者的失落之感。满天烟花脱兔而去，诗人空余满怀寂寞。

　　"你脆弱如同轻盈的昙/只有疼，只有短暂的虚无"。也许只有细心的人才能领会此间景象蕴涵的"脆弱"，诗人在这里已经把人们熟悉的"烟花"拟人化了，她把短暂的美给予世人，装扮节日和瑰丽的人生。而美丽诞生之时，就是她的陨落之际。烟花之美，在于奉献美丽，而牺牲自己。美得绝伦，美得令人心疼，令人相惜。她的存在真的是"虚无"的吗？你看，那遍地的欢乐，那欢呼的海洋，多么真实，多么令人心怀感恩。这个"虚无"是相对于真实的世界而说的，相对于怜惜的心境而说的，满天烟花的美丽已经化作人们心间美好的记忆。是的，满天烟花真的消失了，那个元宵佳节，也化作繁华的碎片。作者遂慨叹说："给你一年四季的温暖吧/在我的怀里/在我柔柔的目光里/呵护着你/一点一点绽放"。

　　这里，作者已经从烟花中走出来，回到现实。烟花已去，不可追寻。只有珍惜生活中值得珍惜的人和事，你，也许是指作者心中所想的人，可以是爱人、情侣、朋友和需要作者体恤、关怀和帮助的人，或者指的是一群人的整体；或者指的是值得作者为之奋斗的某项事业。总之，能被诗人牵挂的人是世界上幸福的人；能被诗人祝福的人定会具有瑰丽幸福的人生。(王清音，青年作家，诗人)